JN124172

哲学を語る会

羽田野大樹 著
松波龍源 監修

はじめに（本書の内容・特徴について）

本書は私が主催している「哲学を語る会」の討議内容を書籍化したものです。哲学をこよなく愛するメンバーと「自己」「他者」「善」などのテーマについて、それぞれの哲学を語る会であり、贅沢な学びの場となっております。

趣味で主催した会など、単なる井戸端会議的な内容と思うなかれ。次の点で十分読者の知的好奇心を満足させ、読み応えにある内容に仕上がっていると思っています。

メンバーは哲学科出身（それぞれの専門をもとに、それぞれの哲学を語り合う）
テーマ毎に哲学者の主張を要約（哲学入門としても活用できる）
松波龍源先生が指南役。東洋哲学の立場でコメント（西洋との違いがわかる）

メンバーは哲学科出身

私は哲学科出身ではないのですが、本格的な討議にしたいという思いが強かったので、誰でも参加できる会ではなく、哲学科出身者を中心にメンバーを集めました。それぞれが専門にしている哲学者は時代・国に偏らず広くカバーしています。「哲学する」土台は共有していましたので、各回のテーマについて深く討議できました。参画メンバーのプロフィールは巻末を参照ください。

テーマ毎に哲学者の主張を要約

初回の「十牛図」の会を除き、2回目以降は各テーマについて、まずは過去の哲学者がどのように主張しているのか、会のメンバーが講師となって解説し、その主張を踏まえて討議するスタイルをとっています。ポイントはまとまっていると存じますので、哲学入門としても活用頂ける内容になっています。

松波龍源先生が指南役。東洋哲学の立場でコメント

「哲学を語る会」で声かけしたメンバーは西洋哲学を専攻にしていたので、東洋哲学の視点も入れたく、指南役に入ってもらう僧侶を探していました。

ご縁あって、京都の知り合いに松波龍源先生を紹介頂き、「哲学を語る会」の趣旨を説明し、指南役として入って頂きました。龍源先生のプロフィールの詳細は巻末に記載しますが、寶幢寺《ほうどうじ》の僧院長を務められており、会のメンバーの討議内容に対して、東洋哲学（仏教）の立場でコメントを頂き、毎回毎回深い学びにつながりました。龍源先生のコメントだけでもこの本は一読の価値があります。

本書を通じて、哲学の面白さが伝わることを願っています。

「哲学を語る会」主催者　羽田野大樹

書籍化に寄せて（松波龍源）

「物の興廢《こうはい》は必ず人に由る。人の昇沈は定めて道に在り」弘法大師のお言葉です。「ものごとが興隆したり、廃れ去ったりすると言うことは、全てそこに生きてものごとをなしている人間によるのだ。その人間がまともであるかどうか、良くなるか、悪くなるか、それはその人々の生き方の規範、考え方にあるのだ」概ねこのような意味です。

「哲学」とは一体何なのでしょうか？　ひまな人々が何の役にも立たない、コムズかしい理屈をひねくり回して、自己満足の悦に入っている。そんなイメージがあるかもしれません。

まったく間違っているわけでもないような気もしますが、「生きる指針」まさに哲学がない人間が生きる人生、そのような人々が作る社会とはどのようなものでしょうか？

目に見えて、計測できて、誰からみても同じ基準で測定できるものが全てだ。という「唯物論」も哲学です。いやいや、人間は「こころ」で生きている、計測も「こころ」が行っているから「こころ」を基準にするべきだ。このような「唯心論」も哲学です。

どちらの立場で生きるのか、ものごとをなすのか、たぶん、まったく違うものになるでしょう。哲学を学び、自分でも考えること、先人達の考えを知り、今を生きる自分の考えを持つこと。これほど重要な事が他にあるでしょうか？

今の我々の世界に問題があるとすれば、それは今を生きる我々の哲学に問題がある。弘法大師の炯眼《けいがん》が遙か過去から今を照らしています。

何とも予測不可能な縁に導かれて集まった、様々な背景を持つ人々。主宰の羽田野さんを中心に、レギュラーメンバー、スポット参加の人々、多様な人が、何も気にせずに自由に「哲学」できる場。とても貴重で豊かな場であったなと感じています。

大学の授業とも違う、正解も評価も何もない「ただ哲学を学び、考え、語り合う場」これはひょっとしたら、今の世界に最も欠けていて、そして最も必要なものなのかもしれません。この会の空気感を、なんとなくでも感じて頂ければ。

哲学に興味がある人もない人も、今が生き苦しい人もそうでない人も「人間というものを考えること」という面白さに触れて頂ければ。

洋の東西を問わず、先人達の遺してくれた業績は偉大です。それらに触れれば、今の悩みや苦しさは軽くなるかもしれません。

この本が、その扉を開くちょっとしたきっかけになれば。そんな風に思います。

松波龍源

第七章　美とは何か？……110

第一章　十牛図《じゅうぎゅうず》

十牛図《じゅうぎゅうず》(上図)とは、逃げ出した牛を探し求める牧人《ぼくじん》の様子を、段階的に描いた十枚の絵のことで、それぞれの絵には詩が添えられている。「牛」は「本当の自分」、牧人は「本当の自分を求める自分」を例えたもので、俗世間の生活の中で自分を見失い、本当の自分を探しにでかける若者の物語は、禅の悟りに至る道筋を示している。

十牛図は、中国・北宋時代の禅師、廓庵《かくあん》が創作した。牛がモチーフになっているのは、牛は仏教のシンボルでもあり、お釈迦様の名前、ガウタマ・シッダールタのガウタマは「素晴らしい牛」という意味もある。中国人の好きな天台法華経の「火宅のたとえ」では牛が特別扱いされていることも影響していると考えられる。

以降、1枚ずつ説明する。

一、尋牛《じんぎゅう》

□漢詩要約

大切な牛が逃げてしまった。自分にないものを探せば探すほど、本来果たすべき役割から遠ざかり、人生の分かれ道に迷い込む。野を歩き、川を渡り、山を越えて、その牛を探し求める。その道は険しく、果てしない。

□解説

牛がいないというのは「本当の自分」を見失った状態であり、それを探しにいこうと決意した状態であるということ。

大抵の人は自分とは、自分の考えた思考の結果や感情のことだと思っている。思考や感情は「結果」であって、本当の自分とは、それらを生み出している存在である。

感情や欲に振り回され、本当の自分を見失っているところから十牛図ははじまるが、まずは、感情に振り回された今の自分が「本当の自分」ではないと認識することが肝要と考える。

二、見跡《けんせき》

□漢詩要約

ふと前方に目を落とすと、牛の足跡をみつけた。道ばたには、牛が食べるよい香りのする草がたくさん生えている。「ああ、牛はむこうにいるぞ」と喜んでその足跡をたどって駆け寄っていく。

□解説

本当の自分を探し始めて、もう「足跡」見つかった?と展開のはやさに多少戸惑うが、ともかく足跡を見つけられる。

「足跡」とは、正しい教えに従うこと、つまり、ブッダの教えを説いた仏典のことを指す。

ブッダの教えを信頼し、自ら信仰として求める道とする姿勢を「受容的継承」とする一方で、西洋において師とは、哲学の入口であり多くの学びを得る先達であると同時に、乗り越えるべき壁として最初に現れる存在であり、「批判的継承」という姿勢をとる。姿勢やアプローチは違えど、より良くあろうとする意志をもって自己や世界と向き合う「向上心」は共通している。

三、見牛《けんぎゅう》

□漢詩要約

牧人はとうとう探し求めている牛を見つけた。自分の目も耳も、鼻も舌も、体も心も、その感覚ひとつひとつが牛を見つける手掛かりとなった。日常の行動も、その一挙手一投足全てが、牛を見つけるのに必要だった。

□解説

本当の自分は感情や思考を生み出している存在であれば、牛は外にいるのではなく、こころの中に在るということになる。外の環境や他人を「在るもの」だと思うと正しく見られない。全ては自分の心の中にうつる現象であり、内面を見つめることが大事だとこの絵は語りかけてくる。オーストリアの哲学者、フッサールは心に立ち現れる現象が何を意味するのか、現象学で解明しようとしたが、その営みと相似する。

意識のベクトルを自分の内側に向け、「自分にとって○○とは何か？」ではなく、「○○は自分に何を問うているのか？」と問うことで、自分の心をありのままに見る手掛かりを得る。

四、得牛《とくぎゅう》

□漢詩要約

牛に近づいた牧人は持ってきた綱で牛をとらえた。牛はすきをみては香りのよい草を求めて草むらに逃げようとする。この牛を飼い慣らそうと思うなら、綱をしっかり握って、いましめなければならない

□解説

自分の心を意識できる部分を表層心、意識できない部分を深層心とすると、自分の意識から深層心に対して、働きかける自己暗示のような念が、牧人と牛をつなぎとめる綱ととらえられる。

ふだん私たちはとかく流されてしまいがち。「二、見跡」で得られた正しい教えを実践するという強い意志が、安易な方向に流されないよう食い止める役割を果たす。

五、牧牛《ぼくぎゅう》

□漢詩要約

牛はおとなしくなり、自分の後をついてくるようになった。ただ逃げ出すのが心配なので手綱は握ったまま。せっかくつかまえた牛を逃がさないためには、どうしたらよいのだろうか。

□解説

この段階までくると、外の世界に振り回されることはなくなるが、まだ悩んだり、後悔したりすることがある。そもそも悩みの原因は、他者との比較や過去の自分との比較、未来の自分との比較など、比較することから生じてくる。

「私が△△に○○する」と言葉を発している時点で、私（主体）と△△（客体）と○○（行為）の区別が生じる。その区別をなくすこと。つまり今の自分にフォーカスをあてて、全身全霊で打ち込むことにより、迷いから抜け出すことが可能となる。

六、騎《き》牛《ぎゅう》帰《き》家《け》

□漢詩要約

おとなしくなった牛にのって家路についた。牛の堂々とした温かい背中を感じつつ、横笛をふく。その拍子や歌のひとつひとつには、限りない想いがこめられている。

□解説

ようやく本当の自分に出会えた。無数の縁から成り立っている本当の自分のあたたかさに触れ、心から喜んでいる。自分のいのちが、先祖代々引き継がれて今があること、今の自分も他者との関わりによってあることに目覚めたとき、生きている喜びがあふれ出てくる。

これは私見だが、自立した人間ほど、依存先を多くもっていて、その依存先に対して感謝の念を持っていると考える。依存先が多いから、まっすぐ立てるし、多少のことでは倒れない。

七、忘牛存人《ぼうぎゅうそんにん》

□漢詩要約

とうとう家に帰りつき、のんびりとまどろんでいる。雲が晴れて月の光が照らしている。月は雲にかくれていただけで、ずっと前から暗闇をてらしていた。

□解説

せっかく牛と一体化できたのに、牛がいなくなって安心しきった顔をしているがなぜだろうか?。

「川の対岸にわたるのに役だった筏《いかだ》を大切にとっておくのは真理か?」という問いに「真理ではない」とするお釈迦様のお話がある。つまり、手に入れた「本当の自分」を大切にすることは執着であり、その執着をも捨て去ることで、苦の原因となる生老死苦からも解放されるとこの絵は説く。

八、人《にん》牛《ぎゅう》倶《く》忘《ぼう》

□漢詩要約

牛をつないでいた手綱も、自分自身も、牛さえも、なにもかもが消えてしまった。青空が、遙か遠くまで広がっている。あるのは、ただ空白だけ。

□解説

「色即是空」という言葉は聞いたことがあると存じる。この世の中は諸行無常で常に移ろい、変化しているが、根源的に変わらない概念があり、それが「空」。

ここでなぜ「空白」が描かれているかは、討議していて、龍源先生の素晴らしい回答があるので、ここでの詳細説明は割愛する。

九、返本還源《へんぽんげんげん》

□漢詩要約

牛も見えず、自分もないが、森羅万象がたちあらわれ、眼前には美しい自然が広がっている。旅立つ前から自然はあったが、今はありのままの姿で観じられる。

□解説

「色即是空　空即是色」の言葉の通り、空のあとには豊かな自然が立ち現れてくる。仏教はもともとインドから生まれているが、インドの古代哲学にウパニシャッド哲学というものがあり、そこでは森羅万象の宇宙ブラフマンと、自分アートマンは一体であると説いた。自分という存在は宇宙の一部でありつつ、自分の心は宇宙を包含していて、それは本質的に同じものだと見抜いた。自然に溶け込み、一体化する心境がこの絵で表現されている。

十、入鄽垂手《にってんすいしゅ》

□漢詩要約

再び人間の世界に立ち返った。再び人間の世界に立ち返った。不思議な力があるわけでもなく、ただ、枯れ木に花を咲かせるように、人々に手をさしのべている。

□解説

この図の解説は、龍源先生の解説をそのまま引用する。

太ったおじさんは布袋さんみたいだが、布袋さんは中国にいた実在のお坊さん。大きな袋をもち、戒律には無頓着だったらしい。人から物をもらうのは戒律違反ということはいわず、もらったものはどんどん袋の中にいれて、どんどん人にあげていった。

この実在のお坊さんは亡くなったあと、釈尊なきあと五十六億年後に世界を救うとされる弥勒仏の化身だという信仰が生まれてくる。なので、中国仏教では新しいブッダのシンボル、未来のブッダの姿と認識されている。

京都の萬福寺には、弥勒像として布袋さんが祀ってある。日本人からすると違和感があるが、中国人からすると未来のブッダの姿。十牛図の最後の太った老人は、おそらく弥勒を念頭に描かれていると思われる。

第十図で老人と触れ合っている人は、第七図までの自分と同じ服を着ている。牛飼いが悟って弥勒となったのか、修行して空をさとって弥勒に出会えたのか、どちらかわからない。それは見ている人の心に何が映っているかということを問いかけているのではないかと思われる。

しかるに、丸のなかに描かれた十牛図は、自分の心月輪であるというのが、真理の世界に近い、勝義諦《しょうぎたい》としての見方ではないかと考えている。

討議（見跡：何に正しさを求めるか？）

善悪の基準を他人に求める。他人を害するのが悪、他人を利するのが善ととらえる。仮にこの世の中に知性を持った動物が自分一人だった場合に、善行も悪行もなしえない。とするならば、善悪は他人がいて初めて成り立ち、自分がどう思う・感じるは善悪には関係ないと考える。三人いて、Aさんには利するがBさんには害となったとき複雑になるが、二人だった場合はシンプルに考えられる（坂元）

アリストテレスだと両極端の考えの中間点、つまり中庸が善ととらえる。ちょうどよい中間点というのは相手や時によって変化しうるものであり、それを考えるのが人間らしさ・知性である。坂元さんのおっしゃった通り複数いると、問題が複雑になり、常に変化しているので正しさを求めるのは難しく、正しいというのはわかるものではないと最近感じている（遠山）

小さいころのしつけで、人様に迷惑をかける／かけないが自分の中の基準にはなっている。大人になり、福祉関係の仕事をしているが、社会福祉は「人の幸せ」をサポートするのが仕事だが、人の幸せは人それぞれ感じることが異なる。異なる価値観をもつ人でもその人の尊厳を認める愛が善なのではないかと考える。（廣澤）

自分と他者との関係において「正しさ」が生まれると考えた時期があった。仮に他者が自分より先に亡くなった場合、自分のする行為が「正しさ」から切り離されてよいのか。亡くなった人の尊厳を大事にするというのは、2者間で生まれる「正しさ」で言い尽くせない何かがあると感じている。（岩田）

人を殺してはいけないとか物を盗んではいけないといった倫理観は前提においた上で、個々人がもつ価値観は相対的なものであるが故に「正しさ」などないのではないかと思っている。ただ、自分の価値観が絶対で他人が間違っていると考えるのは間違っていると考える。（羽田野）

龍源先生のコメント（仏教における正しさ・真理について）

仏教の世界でいうと勝義締《しょうぎたい》と世俗締で考える。勝義締は仏教の教えが説いている真理で形而上の世界。世俗締は、形而下の世界。この二つをわけて考える必要があり、混同すると訳がわからない議論となってしまう。

勝義締は真理そのものであるが、自分の精神をどちらに置くかで真理の現れ方は変わってくる。完全な勝義締で議論をするのであれば、「正しさ」とはそもそも概念として存在できない。

正しい／正しくない、善悪といった概念そのものが空相であり、全てが一切皆空であることが理解されているのが勝義の世界の真理とするならば、正しさを行う誰かもいないし、悪を行うなにかもないし、悪という概念も存在しないし、正しいという概念も存在していないということになる。

では、世俗締、すなわち形而下の世界ではどうなのかというと、「空」のあらわれととらえるので、その場その場の常識と法律に従ってくださいということになる。

討議（人牛倶忘：なぜ空が描かれているか？）

形而上・形而下とリンクして考えるならば、十牛図の第七図までが形而下の世界で、他なるものに近づく世界が描かれていると思っている。野球で例えると、バッティングやボールの投げ方を練習していくなかで、バットが自分の一部になると感じたり、投げたボールの感覚でスピードがわかるようになると感じたりとか、形而下の世界で習得したものが自分と一体化し、形而上の世界に啓けた瞬間が「空白」の世界として描かれていると理解している。啓けるといった感覚は苦しんで体感するものであり、言葉では説明しにくい感覚と思っている。（岩田）

ティク・ナット・ハンさんが説いている「インタービーイング」という相互依存の関係、つまり、自分と他と区別した個別の存在ではなく、他の一部であるという感覚で、岩田さんのおっしゃった通り、言葉では説明しにくい領域だから空白で描いたと感じた。（廣澤）

第八図は謎の図ではある。聞きかじりの仏教の知識では「わかろうとする心をすてなさい」ということかと思っていて、十牛図では本当の自分を探求する牧人がでてくるが、求めようとしていることを否定しているのかと感じる。空白のあとに自然が現れて人の世に戻っていく流れの中で空白

を自分の中で言語化すると「パラダイムシフトの瞬間」と表現できるのではないかと思う。それまで作り上げてきた人生観というものが、崩壊したときが始まりで、そのあとは同じ世界がまったく別に見えていて、在り方そのものが根本的に変わった私というのがある。西洋哲学の立場ではあるが、究極的に求めているのは「パラダイムシフトの瞬間」だと思う。（遠山）

無分別智の先にいくと、空間とか時間の境界がなくなり、般若心経《はんにゃしんぎょう》の「不増不減」「不垢不浄」といった心境になる。世の中は広い空間軸・時間軸の中で起きている事象にすぎないというところでいけば、何も怖くないと思える感覚が「空」であり、八番目の絵があると理解している。（羽田野）

壺を描いた絵だけれど、見る人によっては二人の向かい合っているようにも見えるだまし絵があるが、見ているのは同じ絵である。それと同じで、同じ十牛図をみながらそれぞれの考えを述べているのを聞き、それぞれが正解と思いながら聞いていた。自分がこの絵に何を見たかというと、自分のおもてに出てきている意識ではコントロールできない自分の望みといったようなものが牛として現れてきていると私はみた。作曲家を生業とする自分の話になるが、高校のときに作曲家を志したが、受験の段階で断念せざるを得なかったが、何かしら音楽に関わりたい自分がいて、音楽が自分を放してくれなかった。それが原因だと思うが、社会人になって体調をくずし、自分の自己評価が下がりつづけ、ようやく今の作曲家の仕事についたときに、全ての自信が戻ってきて、人間として一つになったという感覚があった。私は十牛図にその過程を見ている。十牛図は牧人と牛の二つが描かれているが、実は絵を見ている自分がさらにいると思っている。牧人と牛が格闘しながら一つになっていくが、牛がいなくなる絵は、牛は見る対象ではなくなるということではないか。そのあと空白になるのは、牧人とみている自分が一体化し、世界との区別がなくなると、見る対象が存在しなくなる。そうすると、描かれる世界は空白となるというのが自分の見立てです。（坂元）

龍源先生のコメント（空について）

第八図の空相は遠山さんがおっしゃった「パラダイムシフトの瞬間」で、それは表現しようがないので、何もえがかれていない。それを理解するためには空相を理解する必要がある。

大乗仏教にはありがたいことに、空相の明確な3つの定義がある。

第一は、原因と結果の集積によりそこに現れているという真実。

第二は、それが部分と全体というものに分けられたり統合されたりするという真実。

第三は、言語によって確定される概念の積み重なりであるという真実。

つまり、何か一つのものを表そうとしたときに、それは縁起という原因があって結果がある、そこに絶対性はないということ。原因が変われば結果が変わってくる。また、今出現している事象も別の何かの原因となっていたり、さまざまな事象に影響を与えるものになっていたりしていて、変化のなかにあるということ。

それは、部分と全体という概念でとらえられる。何か一つのものごとと思っていることは、大きな全体のなかの部分であるし、もしかしたらもっと小さいものの集合で構成されているということもある。

最後が十牛図に一番近いと思うが、言語によって概念化されるものの連続体であるという考え方。密教の場合は、自然言語に限らず、色や音も一種の言語表現であると考える伝統がある。なんらかの意味情報を伝えるものが言語だととらえると、意味情報の伝達により、なんらかの概念が固定されて理解されてしまうということ。それが実は空ということでもあり、結局言語と概念も原因と結果、部分と全体だったりするので、固定的にとらえることは不可能ということを第八図で言っている。

絵画も言語表現の一種であり、第七図までは牛飼いと牛が描かれているが、第八図になるとパラダイムシフトがおきて、形而下から形而上へと飛んだ瞬間を表していると考えられる。何を描いても空相の世界にしかならないので白くするしかなかったということになる。

十牛図は必ず丸の中に描かれる。これはなぜかというと第七図にヒントがあり、牛を忘れた牧人さんが外を見ていて満月がかかっている絵がある。満月というのは大乗仏教において心月輪といって、菩提心の象徴である。それは悟りを求める心であり、求められるべき悟りそのものの真髄をあらわすものであり、自分の在り方、自分の心の状態というものの理想形として、大乗の修行者がもっていなければならないものとされている。

恐らく十牛図が丸の中に描かれているのは、その絵を見て修行している人の心の在り方を示すために、心月輪というメタファーをもたせて描かれている。

最初の絵は自分しかいない。何かを得ようとして悪戦苦闘するのが第六図まで。第七図になると、自分の欲望は満足されて、外をみると、菩提心の象徴である満月が出ていて、そこで牧人は悟ると同時にそれを見ている自分も悟りをひらいて、完全に透明な鏡のような真っ白な月の光が広がる。その後に返本還源という真実の世界が広がり、最後に村に入っていく図に変わっていく。つまり大乗の菩薩としての在り方に導こうとしている。

第二章　自己とは何か？

問いの設定

自己は存在するか？
自己は心か体か？
心・身体・環境と「自己」との関係は何か？
自己は自己をいかにして知る／意識するのか？
「自己」はいかにあるべきか？
いかなる「自己」を達成・実現すべきか？

西洋哲学における「自己」

デカルト・ヒューム・カントがそれぞれどのように「自己」を定義したか、簡単に説明する。

□デカルト：自己＝疑う「私」

あらゆるものを疑い、明らかに真だとわかる最小の単位まで分解して、組み立てなおす検証をしないと、真理にはたどり着かない。しかし、「疑っている」自分は疑えない。この疑いの主体・実体が「自己」つまり「私」であるとした。「我思う、ゆえに我あり」というデカルトの言葉は人口に膾炙《かいしや》している。

□ヒューム：自己＝単なる「知覚の束（統一性のない集積物）」

心の中を内観してみると、いろいろな感覚・感情・欲望を知覚できるが、知覚している自分というものを知覚することはできない。知覚できないものは存在しないのであり、「疑っている自分」を自己とする、デカルト的自己は存在しないと主張した。

□カント：自己＝世界の秩序を設定する「考える主体」

ものを一定期間おいて知覚したときに「同じ」と「考える私」はたとえ「見えなくとも」存在するとし、ヒュームの考え方を否定。この同一視する「私」は、一定期間において「同一」とみなす事態毎に存在すればよく、世界の基礎的存在者＝実体である必要はないとし、デカルトの立場も否定。自己とは、世界の秩序を設定する「考える主体」であると主張した。

東洋哲学における「自己」

東洋の場合は関係性から自己をとらえようとしており、森羅万象の宇宙と一体化しているとする全体論的考え方と、自己と身体を同一視する身体論的考え方と、自己の在り方は「あれか・これか（主客・心身・有無）」という二項対立ではとらえられないとする不二的考え方をする特徴を持っている。

龍源先生のコメント（無我と空について）

東洋思想、いわゆる仏教において、釈迦牟尼がとなえた「無我」の考え方と、それを発展させた龍樹による「空」の考え方を分けて考える必要がある。ほとんど変わりはないが、我（アートマン）が無いとする考え方は、デカルトのいう考える主体としての我というものに対する絶対性のなさを説いている。「空」思想の場合は、我に加えて、外界や法則のようなものも、絶対的実存を欠くととらえる。老荘思想に関しても、中国に導入された大乗仏教の「空」の影響を受けていると考えて大過ない。そのように考えると、「無我」と「空」の2系統があると考えればわかりやすいと考える。

討議（自己をどう考えるか）

デカルトの「我思う、ゆえに我あり」という「自己」の考え方は、当を得ていると個人的には思っている。ただ、自己以外の存在証明について、デカルトは失敗していると個人的に思っている。一方で、「夜と霧」を書いたフランクルは「人生は自分に何を問うているか？」とまったく違う方向から「自分」をとらえていて、自分の中ではデカルトとフランクルという異なる考えが共存して、気持ち悪い状況にある。自分としてはデカルトの「自己」がすんなり入ってきているがゆえに、「自己でないもの」に興味をもつようになっている。（岩田）

哲学によってものの見え方は異なるし、どうあるかを考えていくことで、「自己」は変わっていくのではないかと感じた。また、いろいろな人とつながり、相互依存していくことで変化につながっていくとも感じている。「自己」とは自分だけでは存在できないものであり、他者とかかわりながら生きていくことが自然であると思っている。（廣澤）

今現在の「自己」という意味では、フッサールの現象学という見方で「自己」をとらえる。その見方で自己や世界をみると自由度が広がる。自由度が広く、何事にも応用できる反面、しっかりと定義できない。デカルトのモノの見方だと独我論に陥ってしまうが、現象学におけるモノの見方の正当性は高いと思う。認識の赴くところをわかる範囲で限定するという意味で、自分のまわりに起きている現象について、自分を離れた見方はできない。観察者が観察行為によって観察対象に影響を与えてしまうが、それが私にとって真の姿だとする。共有はできないが、私はこう見た、こう感じたという現象は間違いなく起きている。周りとの関わりをもった「自己」なので孤独ではなく、私としてはよい見方ではないかと考える。（遠山）

龍源先生のコメント（仏教における自己、キリスト教との違い）

一般大乗哲学における自己認識と、密教における自己認識、キリスト教における自己認識との違いという観点で話をする。

□一般大乗：自己＝空

大乗仏教は中観、いわゆる「空」の哲学と唯識の哲学の両面がある。「空」の哲学の前提にあるのは、インドの六派哲学のバイシェーシカ学派というものがあるが、物事には「それがそれである要因＝（アートマン）」があると考える。牛には牛性《うししょう》があるが故に牛であり、自分には自性《じしょう》があるから連続して私であるととらえる。

アリストテレスは「昨日の自分と今日の自分は違う」ととらえるが、バイシェーシカはそのようには考えない。ただ、えんぴつのえんぴつ性だとか、パソコンのパソコン性だとかの根源は「空」だとするのが中観哲学であると。となると、私の自性というものは「空」となり、「空」とは、因縁生起といった原因と結果、そこに関わる縁起で成り立つものと、部分と全体という関係性をもつ、名前と概念という対応関係をもつ、そこに絶対性はいついかなるものにも認められないという考え方。ゆえに自分の自性とは因果関係でしかないという考え方がベースとなっている。

そのように因果関係として生起してくる仮の事象が認識力となり、何かを見ていくというのが唯識の考え方。その考え方はフッサールの考え方と同じで、物事は実存が先にあるのではなく、認識されたように出現していく。空相という縁起に「認識される」という因果が加わって、主体にとっては認識されたように出現していくという考え方。

そこにも実体性は認められない。「かわいい犬」というたとえでいうと、犬をかわいいと思う人にとっては、「かわいい犬」として出現するし、犬をこわいと思っている人には「こわい犬」として出現する。認知の仕方によって全てのモノは一定の形をとりえないということになる。

人の認識力は四段階あると考えられている。最下層にあるのが、集合的無意識に相当する阿頼耶《あらや》識《しき》。その上に、自我を規定する無意識領域の末那識《まなしき》というものがある。その上が、いわゆる自分たちの自己認識である自意識があり、その上に感覚を認知する五識（眼識・耳識・鼻識・舌識・身識）というものがある。これらは下から順番に上の階層を認識していると考えられている。我々が普段認知しているのは感覚器官から得られる情報を認知しているのにすぎず、それは無意識から認知されてそのようになっているし、自我をもっている無意識は集合的無意識に認識されたように出現していることになる。それは全て空であるという考え方になる。

□密教：悟りそのものの現れとして「自己」が出現

基本的には大乗の考え方が引き継がれているが、悟りとは何かという問いにたいして、悟りとは「実の如《ごと》くに我が心を知ること」とある。自分の心を正しく知ったら、それは悟ったということ。「自分とは何か」という問いに答えられたら、仏教的にはブッダとなり、凡夫には到達できない境地であると思われる。密教では自分の心はエネルギーであると言い切ってくる。「空」なる世界に動きがなければそれは完全な虚無である、しかし、この世の中は虚無ではなく、なんらかの動きがある。その動きこそが自分自身の本質であり、それが「空」だととらえる。であるが故に、自己と他者の間に区別はないし、根源である自分の心は、森羅万象と等価であるという考え方をする。なので、我々は悟りを求めてブッダになるのではなく、悟りそのものの現れとして出現しているわけだから、そこに気づくよう密教は伝えている。その気づくための方法として瞑想などでそのことを思い出そうとするのが密教の考え方となる。

□キリスト教との違い

谷崎テトラさん（京都造形芸術大学創造学習センター教授。作家）の勧めで「エルトポ」という映画を先日観た。正直、しんどい映画で、リドリー・スコット監督の、エイリアン・プロメテウスと同じしんどさがあった。何がしんどいかというと、絶対的に逃げられない「私」というものがあって、私というものを作り出した「神」というものという世界観がある。どうしても逃げられないという前提は、仏教にはない考え方なので、なぜそのようなことで苦しむのか、理解し難いものがある。

私の心というものの成り立つベースが異なっている方とは、同じ前提で話したらいけないということを強く感じた。それは哲学のみならず、映画の評論や音楽の解釈などについてもいえることかもしれない。

そういった意味で心の在り方というのは、人間にとって大切で、動物にはできない高度なことではあるが、その分難しく危険なことでもあると思うので、こういった場で「自己」とは何かを話し合っていくことは意味のあることで、未来を作っていくのではないかと皆さんとの討議を通して感じた。

第三章　善とは何か？

問いの設定

普遍的な善は存在するのか？
最大多数の幸福対個人の自由意志（ワクチン接種は強制すべきか？）

アリストテレスが主張する「善」

アリストテレスを深く学ばれている遠山さんが、アリストテレスが主張する「善」を語る。

□結論

善・悪は、「その人」について以前に、その人のなす「行為」にある
「人格」は、己の判断した行為の積み重ねで決する
全ては自分の責任である

要点一、良い性格になるか、悪い性格になるかその人次第

「器量もまたそれが得られるか否かは我々の意のままになることであり、これは悪徳についても同じである。というのは、それをなすのが我々の意のままになることは、それをなさぬのも我々の意のままになることであり、それをなさぬのが我々の意のままになることは、それをなすのもまた我々の意のままになることだからである」

要点二、意思により行為をし、その結果が性格、人柄となる

「ところで、もしも、美しいことや醜いことをなすのが我々の意のままになることであり、また同じように、それらをなさぬことも我々の意のままになることであるとすれば――そのように美しいことや醜いことをなしたり、なさなかったりすることが正に我々自身が善いものであり、また、悪いものであるということであった――高尚なひとであることと劣悪なひとであることは我々の意のままになることであろう」

要点三、性格、人格は長期にわたる行為の習慣によって獲得される

「不正なひとにとっても、ふしだらなひとにとっても、最初はそのようなひとにならないことが可能であったと言える。それゆえ、彼らがそういうひとであるのは本意からのことなのである。だが、そういうものとなった以上は、そういうものでないことはもはや彼らにはできないのである」

アリストテレス倫理学に関する質疑応答

（問）どのような行為が「徳」でどのような行為が「悪徳」と主張しているか（羽田野）
（遠山回答）社会の中で認められる行為が概ね良いとでてくる。その人が善いと思ってやった行為でも、周りから認められない場合はそれを善いといえるのかといったことが言及されている。誰かからも認められる行為というものが習慣化した状態が良い性格・良い人格とみなされており、それに名前をつけると「正義」といったり「勇敢」といったりする。「人間はポリス的動物である」といった考えの影響が大きいといえる。アリストテレスのいう社会（＝ポリス）というのは今でいうと、国までではいかず、市くらいの規模。政治についても、ギリシャは民主主義の始まりだといわれているが、女性の参政権はなく、奴隷制もあったのでかなり制限された民主制だったといっていい。いわゆる貴族階級という、生活のために仕事をする必要のなかった人たちが参加する形態だった。

（問）自分の「善」と、相手の「善」が対立する場合はどう考えるか（廣澤）
（遠山回答）倫理学の七章でも取り扱われる「正義」と「正義」が対立する、しかし選ばなければばいけないというテーマ。個人的な見解で自分がどのようなスタンスをとるかというと、自分が自分を哲学者と名乗るのであれば、別の言い方をすると私は「向上心」はあるという。というのは、ソクラテス・プラトンの時代には「ソフィスト」という人は沢山いた。ソフィストとフィロソファーというのは、知識量では差がないが、「在り方」が異なる。ギリシャ哲学の倫理と信仰とに親和性がある経営の巨人ドラッカーを引用して話をする。ドラッカーの弟子が書いた経営書の序文に「正義」の対立について述べられているが、アメリカでリーマンショックが起きて政府が救済処置を実施した際、ゴールドマンサックスは黒字を出していたにも関わらず、制度的に問題がないということでその救済処置に乗っかったことがあった。このことについて、その本では「ドラッカーは認めなかっただろう」と説いている。

制度的に認められているが、それをやるのか？それが「向上心」に関わっていると私は思っている。哲学者であればパラドックスについて弁論を尽くして白いものを黒いといいくるめたり、人の考えを左右したりすることもできる。この状況において「ソフィスト」ならそれをやり、授業料をもらってそれで生活をするが、それを批判した人がソクラテス。ソクラテスはそれで訴えられてしまうが、その人の哲学に照らし合わせて、それを認めるか認めないか。私は断固としてそれをやらないといえるかどうかを問われている領域ではないかと思う。

（問）プラトンの観念論に対し、アリストテレスは実践主義と一般論として言われていることに対し、遠山さんはどうとらえているか（岩田）

（遠山回答）アリストテレスにおいて、形而上学と倫理学は真逆のアプローチでとらえていて、形而上学では実は、プラトン的立場をとっている。形而上学は存在論として物事の存在を明らかにしようとするが、つきつめていくと、アリストテレスの考えはプラトンのイデアと見分けがつかなくなる。アリストテレスにおいて「不動の動者」と言われるものが考えられる限り最高の存在であると形而上学では結論づけられる。それはキリスト教における「神」に近い概念を出してくる。そういった形而上学の考え方がある一方で、倫理学では善というのは厳密な定義はできないと主張する。人間がかかわる以上、蓋然性で満足せよというのがメッセージ。

倫理学ではプラトンのいうイデアというものは存在しないし、仮にあったとしても人間の理想にはなりえない。各自それぞれのやり方で理想の人生を探求していくものだという立場をとる。この蓋然性しかいえないとか、そのときそのときで判断せよといった「中庸」という立場もとる。この中庸というのは、例えばプラス10からマイナス10まであったとき、数学的中央点である0を選べばよいかというとそうではなくて、時と場合によって違うとする。

ごはんを食べるにしても、ちょうどよい量というのは誰が食べるかによっても違うし、このあとの仕事によっても違ってくる。その時その時によって判断が変わるが、一番よい選択をするのが「理性」であり、その理性を発揮するのが人間にとって一番善い生き方なのだと主張する。この主張が、現代でも受け入れられている。

（問）龍源先生は、アリストテレス倫理学と仏教との違いをどうとらえましたか

（龍源先生回答）「人格は、己の判断した行為の積み重ねで決する」という考え方は「業（カルマ）」という考え方と似ているし、「因果応報」「自業自得」といった考え方にも通ずるものがある。ただ、仏教での「中庸」、中観哲学でいうところの中道は、プラス10からマイナス10までの間が変動するという立場をとっていない。「プラス10であるとどうじにマイナス10である」「プラス10でありながら、マイナス10でもない」「プラス10でなければマイナス10でもない」という論理的に矛盾する説明の仕方をするが、中道という固定した「位置」があるということを「考えたくない」とするのが仏教の立場となる。とはいいつつ、形而下の世界では、ほぼ同じことを言っているのではないかと感じた。

討議（個々の善：価値観が対立するのはどういう時か）

子供の面倒を見て欲しいと夫に依頼したときに「ママと一緒にいたいという子供の気持ちを聞けばいいではないか」という意見に感情が乱された。子育ては共にやっていきたいという価値観がある。（廣澤）

新しい企画を考えているときに、一緒にやっている方はいろいろ意見を出すものの行為が伴わない人が多い。親切心でいろいろいってくるけれど、何もやらない人にもやもやするものがある。（山田）

「困ったことがあれば相談にのってよい」と上司から言われたので、相談したらブーメランのごとく自分の仕事として帰ってきたときはさすがにムッとした。（岩田）

自分でものをあまり深く考えずに、それをよしとすること。思いつかないのであれば諦めがつくが、内心わかっていつつフタをするといった態度をとる人をみると平穏ではいられない。このコロナの渦中において、思考と責任を投げてしまっている人が少なくないのではないかと感じている。（遠山）

基本的には「人それぞれ」というスタンスで、自分と真逆の考え方を持っている人がいても「なぜそのように考えるのか？」と思う方。ただ、自分の考えが正しいと思い込み、「あなたの考えは間違っている」と主張してくる人には閉口する。（羽田野）

討議（ワクチン接種を強制すべきか）

（注意）２０２１年６月に討議。その時はワクチン接種により集団免疫を獲得してコロナを収束させることが社会的に達成すべきという風潮が優位だった。

蓋然的に考えて何が効率的か？ということを考えると、個人的にはワクチンは打つべきと考える。（岩田）

個人の意見は尊重すべきと考える。国家が強制的に個人を管理するということは、戦前の全体主義につながる発想であり、個人的には怖さを感じる。（山田）

個人の判断を尊重する立場をとる。コロナの問題で思うのは「クレーマー」になってはいけないということ。国も未知の問題に対してやり方がまずいとか、後手に回るとかあるかもしれないが、国は「やってくださるのが当たり前」というスタンスをとることに危うさを感じる。ワクチンのリスクや有効性のデータは個々人が判断すべきだし、それでも受けたくないという人がいるのであれば、白い目で見られるというリスクも引き受けたうえで選択するのはありだと思う。（遠山）

コロナはそれぞれの価値観の違いが浮き彫りになったと感じている。本当は個人として選びたいが、職業としてほぼ強制となる場合がある。そういった話をする場というのが、保証されていない。その中で、自分の考えが抑圧されている人がいると思っている。質問の答えには直結しないが、個々人が安心して意見を言える場が大事と思う。（廣澤）

基本的にはＮＯだが、政府がやるべきことは、個人の「自分」への理解をあげる、つまり教育すること。「自分」が自分だけでなく「他者」、「集団」の中に属する「自分」なので、その関係性をしっかり意識すべきだ。集団の中の自分にベストの判断ができる権利を政府が人々に与える。そして、ワクチンのメリット・デメリットを十分に説明すればいいと思う。（楊）

基本的には打ったほうがよいと思っていて、根拠のないデマを信じてワクチンの陰謀説を唱えるような人は制御したほうがよいと考えるが、基礎疾患があり副作用が怖いという弱者の意見は最低限救うべきと考える。（羽田野）

龍源先生からの問い（見ている世界の認識について）

この場が「哲学＊学＊」なのか「哲学をする」のか、私のほうから皆さんに問いかけたい。「私が見ている世界と私以外の人が見ている世界が同じと思うか？異なると思うか？」コロナのワクチンを打ちたい・打ちたくないというのを良しとするか・悪しきものとするかは、見ている世界を共有しているかしていないかにより答えは変わってくると思われる。（龍源先生）

集団意識という観点では共有している部分はあると思っている一方で、個人の領域で閉じる部分もある。なので、個人の意識に上ったときに、同じものを共有しても見え方が異なることがあると思っている。基本的には共有する世界は何かしら＊ある＊と考えている。（羽田野）

世界の見え方はそれぞれ違うと思う。それを違うと認識せずに話そうとするからかみ合わないことがでてくる。違うということに気づく「場」というのが大事だと思う。（廣澤）

各人が世界をみる「めがね」をかけていて、同じものをみていてもそれぞれの見え方をする。限りなく透明のメガネでありのままを見えている人もいれば、くもったメガネで歪曲したものの見方

をする人もいる。そのように周囲の人は世界をみているととらえている。（山田）

形而下レベルでは、同じ世界観をもって功利・自然科学・実利といったものをみていると思う。ただ、形而上になってくると、他者の等差・空間の断裂といった形で現れてきて、絶対にわかりあえないと考えている。（岩田）

基本的に個々人別の世界に生きていると思っていて、それぞれの認識は重ならないとみる。ただ、「重なりあわない」ということを共感・共有できる道はあるのかと感じている。（遠山）

龍源先生のコメント（仏教における善とは）

一つの実存の世界を共有して、私の生きている世界とあなたの生きている世界が同じであると思うと「絶対善」というものを想定したくなるが、仏教における唯識の考え方は異なる。私の認知している世界は、私の認識が投影して、私のものとしてここに存在している。私が投影して認識している地球・宇宙と、他人が投影して認識している地球・宇宙というのは似ているが違う世界に生きているという並行宇宙論に似た考えをとる。ではなぜ、他人の考えと似てくるかというと、他者が投影した宇宙と重なり合って自分も投影しているからという譬えになる。

そういった哲学を持ったときに、コロナのワクチンの話をどう考えるかというと、「私がコロナのワクチンをうたない」という選択をとって出現した世界は私の責任において現れた世界となる。たとえ、コロナのスプレッダーとなったとしても私の責任でしかないし、秦の始皇帝みたいに「ワクチンをうてという自分の命に従わないものは処刑」という人がいた場合、その人が責任を持っていて、その人の世界で生きることになる。その世界は別の人にも映る。秦の始皇帝のような人の世界が映った世界で生きている人も、自分の責任において生きていかなければならないということ。他者からの影響をうけたということも自分の世界で起きたことだから自分が対処すべきだという考え方が、仏教としてのとらえかたとなる。

第四章　他者とは何か？

問いの設定

他者とわかりあえると思うか、わかりあえるとしたらどういう条件か？
あなたにとって他者とはなにか？

レヴィナスの他者論

岩田さんが、大学時代の卒論テーマだったレヴィナスの他者論を語る。

□レヴィナスについて

エマニュエル・レヴィナス（１９０６〜１９９５）はリトアニア出身の哲学者。フランスに帰化し、フランス現代哲学者として他者論・倫理学展開した。

まず、レヴィナスを知るうえでの、３つのポイントを紹介する。一つは学生時代にフッサールの現象学を学んだことであり、レヴィナスの研究の基礎となっていること。二つ目は、第二次世界大戦時にフランス軍として従軍し、ドイツ軍の捕虜となり、捕虜収容所で生活している。レヴィナス自身ユダヤ人ではあるが、ユダヤ人として強制労働収容所に入れられたのではなく、フランス人として捕虜の扱いを受けたので命を永らえられた。三つ目としては、ユダヤ教・口伝律法のタルムード研究という宗教色の強い研究に従事したということ。哲学者だけでなく、文学者としての顔もあわせもち、最終的には宗教に強く惹かれていったことを押さえておく必要がある。

主な著書として「時間と他なるもの」、「全体性と無限」、「存在するとは別の仕方であるいは存在の彼方へ」がある。

□他の哲学者の他者論とレヴィナスの他者論の比較

詳細に入る前に、他の哲学者の他者論とレヴィナスの他者論の違いを説明する。

デカルト：他者は懐疑の対象

デカルトはありとあらゆるものを疑うことから哲学を開始している（方法的懐疑）ので、他者の存在自体もデカルトにとっては疑いの対象であったことは間違いない。ただ、そこから発展して神の存在証明をしているが、神が私に見せている他者は存在しているというロジックで他者を理解している。

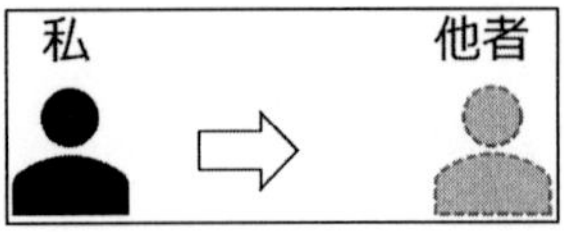

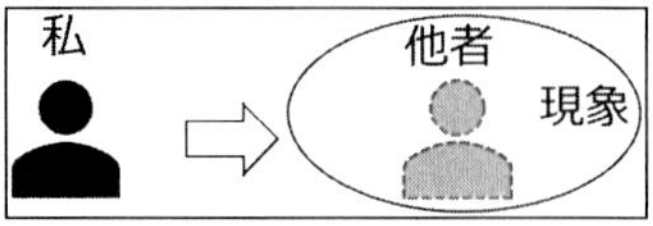

フッサール：他者は自己に現れる現象

比較的デカルトに近いものはあるが、他者は現象としてとらえていて、自分の意識に現れている現象として、他者がいることは確かだろうというとらえ方をしている。

他者という存在そのものは、フッサールの現象学では明確に語られなかったと私は理解しているが、少なくとも現象として他者を認識していたことは間違いない。

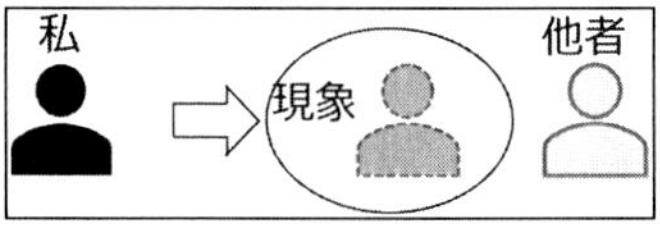

レヴィナス：他者は自己の外なるもの

フッサールは自己意識の現象として他者は立ち現れてきたが、レヴィナスの場合、自分の意識下に他者は現れるが、他者の本質（本質という言葉が適切かは自信がないが）、つまり他者の存在そのものは、現象の外側にいるという考え方をしたのが、レヴィナスにおける他者論。この後、レヴィナスの他者論についてもう少し詳細に迫っていく。

□レヴィナスの主張（存在するとはどういうことか）

「諸存在も人々も、万物が無に帰した様を想像してみよう。その場合、我々は純粋な無と出会うことになるのだろうか。万物のこのような創造的破壊の跡に残るものは、何者かではなく、"ある"(イリヤ：ｉｌ ｙａ)という事実である」

イリヤはフランス語で存在するということだが、存在するとは何の性質もなく、何のも特徴も持っていないとする。日本語だとイメージしにくいかもしれないが、海外には男性名詞とか、野性名詞とか、言語に性別がついたりする。そういった性別がつかず、英語のＩＴのような非人称的で匿名的なものとして扱われるものとイメージして頂ければよいと思う。当然、出発点や到達点、過去や未来もなく、現在も何も刷新されず、そこに在る。ただその「存在する」は、監視されている状態で、別の言い方で「力の場」とも表現している。

存在することをいかに否定して、遠ざけようとしても、それはすぐさま存在に回帰する。「雨が降る」という事象には、匿名的で非人称的な存在するということが、付き添っているということ。こういった匿名的に存在するという事象が世界を覆っているという考え方が、レヴィナスの根底にある存在の概念となる。

若干無機質なイメージを持つかもしれないが、捕虜収容所からかえってきたとき、ユダヤ人が虐殺されたという事実もあり、それでも世界はただただ存在していたというところにレヴィナスの深い絶望があり、このような存在の概念を作り出したのではないかと言われている。

□レヴィナスの主張（私が存在するということはどういうことか）

「人々の間では全てが交換可能だが、実存することだけは別だ」

レヴィナスが考えた「存在する」という地平の上に、私が存在するということはどういうことか？ということを考えた。全ては交換可能であるが、私がここに存在するということだけは交換可能ではない、誰にも換えられないとした。ここは、フッサールの意識論やデカルトの認識論と通ずるものがある。

匿名的で非人称的な存在のただ中において、自分という存在だけは、排他的で独占的な支配により、独りたつことになる。存在は過去も未来も現在もなかったが、現在は私から始まり、世界への主権を有する、あるいは世界を認識する権能を有すると考えた。「私」ということは何かを定義したり認識したりするので質量を持つと同時に自分自身に束縛されるとした。私がここにいなければ世界はなくなってしまうとして、レヴィナスもデカルト的な発想が強く根付いていると私は考えている。

このときの主体は、意図することなく主体であることを享受しているとレヴィナスは表現しているが、この表現がレヴィナスとしては特徴的で、意識的にやっているのではなく、無意識下で受け入れざるを得ない状況にあるとするのがレヴィナス独特の意識論であるといえる。

デカルト・フッサールの場合は主体性をもって意識を外に向けるが、レヴィナスの場合は享受し、それにより世界が成り立っていると考えた。

□レヴィナスの主張（他者をどう考えたか）

「他なるものを所有し、把持し、認識できるなら、この他なるものは他なるものではないだろう」

レヴィナスは「死」というものが持つ外部性から他者理解に入った。つまり、死というものは自分として遭遇する対象であるにもかかわらず、主体の能動的な支配が及ばない遭遇であり、それを神秘な遭遇としている。その意味で、「死」には外部性が備わっているとした。様々な人が「死」について論じてはいるし、他者の死には遭遇するが、自分自身で死の本質とは何かに到達することはできない。自分の意識の及ばない、世界の外部性がそこには存在していると考えた。

その到達できない外部性に着目し、「他者」との遭遇もまた同様に、自己へ回帰しつくされることのない何かとの遭遇ではないかと考えた。出会いの中で、私は他者の認識を有しつつも、その志向性がまったく届かない次元で他者と相対する。それは永遠に逃れゆくものとの出会いであり、合一化や中立化とは一切無縁の出会いでもあるとした。

このようにレヴィナスにおける他者は自分の意識には遠く及ばないもの、遠く及ばないと語ることすらできない存在として定義した。

レヴィナスに関する質疑応答

(問)レヴィナスの万物の創造的破壊のあとに残るのは何者かではなく「ある」という事実といっているのは、フッサールの現象学で現象が消えた跡も消えたことを認識している何かが「ある」ということか？(羽田野)

(岩田回答)自分の意識すら消えていることをレヴィナスは表現しようとしている。レヴィナスの哲学で論理矛盾と指摘される部分であるが、「ある」という匿名的な状況から、意識をもつことが「私」ということであり、逆にいうと、「ある」ということは「私」という存在者が「存在しない」ことをレヴィナスは意図している。ハイデガーは「存在者」と「存在」は分離できないと考えたが、レヴィナスは分離できると考えた。レヴィナスがいう「イリヤ」は「なにもない地平」が「ある」という言葉で表現しようとしている。

(問)「何もない地平」から意識という現象に、なぜ他者が現れてこず、意識の外部に位置付けられるのか？(羽田野)

(岩田回答)他者も意識に立ち現れてくると世界として認識できる。レヴィナスは、自分の意識下に他者は現れてくるが、それはあくまで自分の意識下における他者であって、「死」と同様、認識できるものの、意識のおよばない不可思議さがそこには存在すると考えた。だから、意識の外側にあると考えた。レヴィナスは意識のおよばない（＝語りつくせないもの）を「無限」として、「全体性と無限」の中で表現し、そこから他者論を展開している。語りつくせないものを言語表現しようとしているので難解となっている。

（問）存在するとは「力の場」であることはどういうことか（廣澤）

（岩田回答）例えばコップを認識するとき、コップを認識する前に、コップという存在がある。物事が存在するというのは、存在という地平があって、そこから何かがたちあらわれてくる。その存在は否定しえないものとして「力の場」があると定義した。ライプニッツも「なぜ世界は存在しないのではなく存在するのか」ということを言及している。"ゼロ"ということ自体も、"ゼロ"が存在していると考える。東洋だと物事が存在しないのを存在しないままにとらえるが、西洋だと"存在しない"という地平の上で語ろうとするので、なんらかの"力"や"監視"が働いていると考える。

（コメント）他者論を理解する上では「存在とは何か」がポイントになると思った。アリストテレスは哲学を定義する上で「存在を存在として探求する学」とし、いわゆる「ある」とは何かを探求するのが哲学の役割とした。恐らくレヴィナスも同じことを目指していて「イリヤ」とは、具体的なものをとりのぞき抽象化して残った本質が「在る」ということであり、言葉にならない部分を何と

か言葉でとらえようとした。なので、レヴィナスがやろうとしていることはアリストテレスと「近い」という感覚を持った（遠山）

討議（他者とわかりあえるか）

ある方法では分かり合える。相手と対話をしたとき、同じ物事に対してどれだけ違う見方をしていたか？ということが確認できたとき、「分かり合えた」ととらえる。自分の名前を例にとると、親がいろいろ考えてつけた名前ではあるが、最近あった人でも自分の名前に違う意味付けをもって読んでくる。これでコミュニケーションが成り立つのは面白いと感じている。同じ物事に対して違う意味付けをしているのが基本形と思っている。その違う意味付けを確認しあえたときにその物事は「分かり合えた」といえるのではないか。（遠山）

自分が「主体性」をもっていると同じように、他者も「主体性」をもっている。異なる「主体性」をもっていることをお互い認識した状態であれば、「言葉」の範囲内においてわかりあうことはできると思う。（羽田野）

一般的に 他者と分かり合えるか?という問いには「はい」と答える。お互いの相互理解のもとに、他者をわかりあうことはできると思うが、私は他者とわかりあった瞬間に「他者」ではなくなるという気がしているので、個人的には分かり合えないし、分かり合ってはいけないと思っている。「他者」ではなくなるということについて、極端な話でいうと「好きすぎて食べてしまいたい」という気持ちはよくわかる。しかし食べてしまって自分のものにしたら、なくなってしまって、「他者」がいなくなると思っている。それはジレンマでもある。「あなたと私は共同意識をもっている」といった瞬間にさみしさも感じるので、あえて「分かり合いたくない」と思う。(岩田)

この前夫婦喧嘩をしているとき子供が聞いていて「お母さんの言っていることは正しいけれど、そのままいうとお父さんがかわいそうだ。自分は完璧じゃないという前提で話すのと、自分が正しいという前提において話すのとでは伝わり方が違う」といった主旨のことを言われた。関わりあうときに、自分が体で本当は何を感じているのかをふせて、正しさをたてに伝えようとすると伝わらない。お互いわかりあいたい気持ちを体で感じてそこから言葉を発するとわかりあえるのではないかと思う。(廣澤)

龍源先生のコメント（他者とわかりあうことについて）

「分かり合える」という言葉をどう定義するかとなるが、仏教的には二つに分離できる。一つは形而下世界における「言語」。問いを発した人と、答えた人との間は「言語」でもって共有される。例えば「りんご」というと、我々の中では同じような「りんご」を想像する。人により多少の違いはあれど、「みかん」とは違う「もの」として共通に理解する。

そのことを「分かり合う」と定義するのであれば、「分かり合う」ということはあり得る。サンスクリット語で「三昧耶・サマヤ（契約）」という。この言葉をもって、それを定義しようという契約が交わされ、それが共有されているがゆえに、分かり合える。

「私は人間です、あなたも人間です」というのは、契約的に指し示すものが共有されているとしようということで共通の認識を作っていくことは可能だと考える。しかし、これは仏教における「他者理解」とはとらえていない。

もう1つの分かり合うということに、現代的な用語でいうと「クオリア」というものを完全に共有できるのか？という問いに対し、「一つの条件」をのぞき不可能だと考えるのが仏教。なぜならば、我々は一つの体（ボディ）をもっていて、物理学でいうと粒子（フェルミオン）であって空間座標を共有できない存在である。これがもし波動（ボーズ粒子）であれば空間座標に同時に存在できるのでクオリアの共有は可能かもしれないが、我々はフェルミオンなので、クオリアを共有することは絶対に不可能。

一卵性の双子が違う人間になっていくというのも、空間座標が違うことにより、脳・体が別のものに変化していく。それで、「一つの条件」とは何かというと、ざっくりいうと「悟りをひらく」ということ。自分という枠を超えていくことになり、それをサンスクリット語では「ヨーガ」という、融合する・結合するという意味を持つ。真実の融合・結合を妨げているのは、自己という存在とそこのこだわる「私が在る」という考え方なのだというのが仏教の基本思想。

その妨げているものが捨て去られると、自分と他者を隔てるものがなくなり、位相空間も融合し、クオリアも融合されるので他者と絶対的に分かり合える。それが「悟りの世界」と仏教では考える。そのような観点で西洋哲学の他者論を見ると、「自分」というものが「在る」ということを西洋哲学では前提にしたいし、神様的な大いなるものが「在る」ということをどうしても前提にしたいのかなということを感じた。仏教と大きな違いはその方向性かと思った。

仏教ではどういうことを思って学ぶのかという「発心」が極めて重視される。

西洋の哲学者の「発心」は「私が在る」ことの確認であったり、「神」の存在の確認というのがどこかにあるのではないかと思う。東洋は「私」というものの消滅にベクトルが置かれる。西洋哲学も似たようなことを言っているようで究極的に交わらないところはそこにあるのかと感じた。

討議（あなたにとって他者とは何か）

デカルトやレヴィナスの哲学を読んだときに、自分にフィットしすぎていて「自我意識」が強いというのがあるので、「他者」という存在は、自分の意識の外側になにかあるということを証明する突破口であり、大切な存在というのが自分の中にある。（岩田）

自分にとっての他者というのは、第一に「よくわからない」存在である。「よくわからない」存在であるからこそ、「他者との交わり」は楽しい。いわゆる「腹をわって話す」というように、自分と異なる経歴や考え方を持った人と、同じことを話しても違うとらえ方をすることが分かって、自分としてはそのプロセスが楽しいので、他者とは「楽しみのもと」でもある。（遠山）

他者とは、自分を見せてくれるもの。自分のことは自分でもよくわかっておらず、他の人が自分をどう見ているかを理解することで、自分というものがよくわかったりする。自分の状態をよく教えてくれる存在なので、隣にいてもらうだけで、自分が変わっていける大事な存在。（廣澤）

他者論を学ぶうち、ドストエフスキーの「人類を愛することは簡単である。しかし隣人を愛することは容易ではない。」という言葉が心に残っている。万物の生きとし生けるものを愛するというのは容易に理解できるが、自分の前に立ち現れてくる他者は、自分の思うようにならない存在であり、だからこそ関係性を築いていくことが重要。関係性が築きやすい人はよいが、相手が関係性を築くことを良しとしていない場合は、自分としても距離を置きたくなる。という意味では他者とは「距離感を図らざるを得ない存在」であると思う。（羽田野）

龍源先生のコメント（仏教における他者とは）

まず「私とは何か?」というところから入ると、「私」とは「私以外の全てでは*ない*もの」として存在している。仏教は相対的なものの考え方をするので、絶対的に「私」というものとつくっている要件があるとか、「私（アートマン）」という存在があるということを否定したい。「私以外の全てでは*ない*もの」が「私」であれば、「他者」とは「私以外の全てのもの」である。

数式にすると、「私」=「世界の全て」―「自分ではないもの」となるが、「他者（自分ではないもの）」=「世界の全て」―「私」となる。例えば、世界が10で私が2としたとき、他者は8となり、私が3であれば他者は7となるので、私と他者は依存関係にある。

自分という存在は「他者」なしに存在しえるのだろうか?という問いには依存関係があるため「不

可能」だととらえる。「他者」は「自分」と等価なものとして考えなければならないし、「自分」というのも「他者」と等価なものとして考えなければならない。

しかし物理的に体をもっている「自分」は、他者と融合することはできない。先ほども触れたが、究極的目標地点としては、物理の体をもっているのは「仮の状態」で区別があるように見えている、それは煩悩や業（カルマ）というものによってそうなっている。それを解消して何の区別もない「因縁生起」そのものの世界、それが「空」だとしたいというのが仏教。

そういった意味で「他者とは何か」という問いには「自分自身」である、若しくは「目の前に仮に現れた個体としての他者」は自分自身を構成する一部であるという考え方をする。だから「慈悲」というものは必要で、自分自身を傷つけると世界が傷つくし、自分を幸せにするためには「他者」も幸せにしなければならない。

自分と他者とは違いがない、それを悟るのが仏教の修行であると思うので、「他者とは何か」をまとめると「自分」ということになる。

第五章　強さとは何か？

問いの設定

この世は弱肉強食の世界なのか？
強さとは、相対的なものか、絶対的なものか？
強さに「善い」「悪い」はあるか？
いかにして強さを得るか？

鬼滅の刃：煉獄さんの強さを唯識で読み解く

本章は他章とは趣向を変えて、羽田野が鬼滅の刃・無限列車編を題材に、登場人物の強さを哲学の観点で読み解き、討議した。多少のネタばれが含まれていること、御了承頂きたい。

これから、煉獄さんの強さを唯識で読み解く。まずは、唯識の説明から。

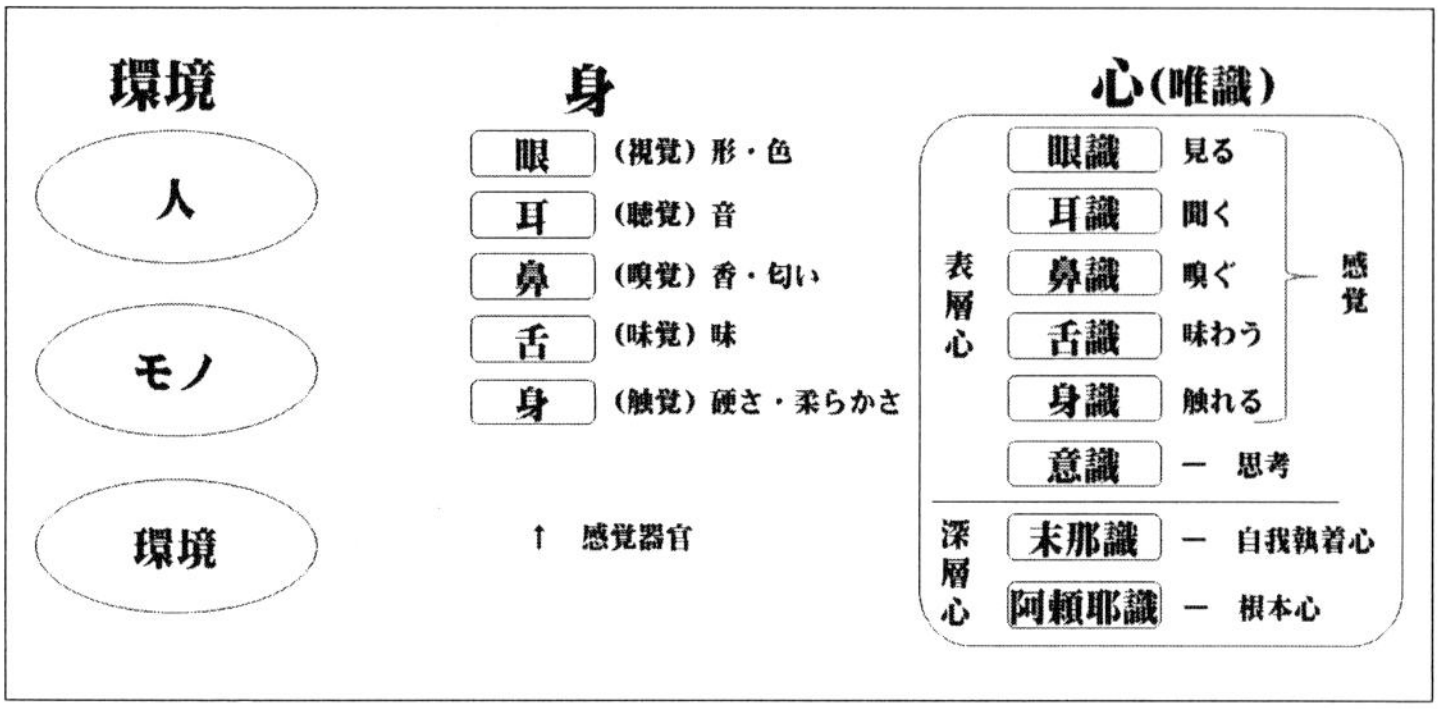

□唯識とは

我々は世界(環境)を目や耳などの感覚器官を通じて理解しているが、我々が理解しているのは心の中におきた「現象」にすぎない。「唯(た)」だ「識(し)」るのみ。唯識とは個人、個人にとってのあらゆる諸存在が、唯(ただ)、八種類の識によって成り立っているという大乗仏教の見解の一つ。

見る・聞くなどの五感にそれぞれ眼識・耳識などの五識が対応し、それに意識が加わった六識が我々の心が認識できるもので、これを表層心という。我々が認識できない無意識の層に末那識と阿頼耶識の二識が加わる。阿頼耶識が根本心と呼ばれるもので、外の世界に対して関わった結果が業としてすり込まれていく。そして阿頼耶識が上の識に働きかけ、自分の身を通じて外の世界にアクセスする。ただ、意識に働きかけるときに、末那識が邪魔をする。これが、自我執着心といって、煩悩と呼ばれる部分となる。

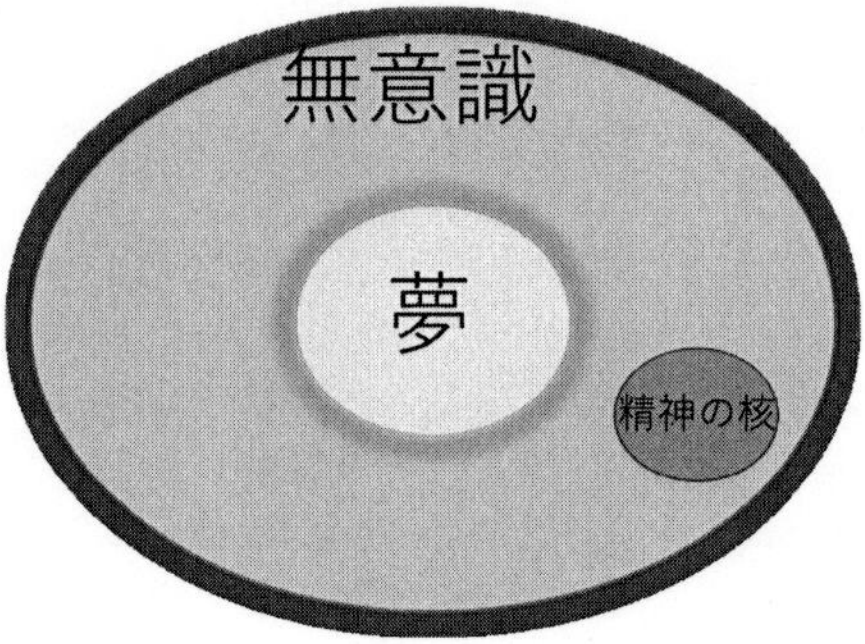

□鬼滅の刃で描かれた意識の構造

鬼滅の刃では夢の世界の境界の外に無意識が広がる構造をとっていた。無意識にある自我が意識に表れてくるのが夢だとすると、末那識にある自我執着心が夢に現れてきたと解釈できる。煉獄さんの夢には柱となった自分を認めてくれなかった父、剣才ない弟への懸念が夢に現れてきたので、それが執着だったと思われる。

精神の核に相当するのは阿頼耶識。正確にいうと、業がたまる種子（しゅうじ）のこと。煉獄さんは炎の情景が描かれた。父からの嫌な思いがありつつも、母からの「弱き人を助けることは、強く生まれたものの責務です」という言葉を強く心に念じ、阿頼耶識の種子《しゅうじ》を浄化した。他者に対して清らかな行為を展開すると、布施の行為が知恵の行為となって自分に跳ね返り、阿頼耶識の中にある汚れた種子《しゅうじ》を焼き尽くしていく。煉獄さんは母の教えに従い、弱き人を助けた結果、自分の煩悩が焼き払われたので、炎の情景が描かれたと推察する。

□まとめ：煉獄さんの強さとは？

(問)この世は弱肉強食の世界なのか？

(答)強いものは弱いものを助ける。そして弱いものは自分より弱いものを助ける。これが自然の摂理だ。(煉獄さんの影響をうけた炭治郎が猗窩座との戦闘時に放った言葉)


(問)強さとは、相対的なものか、絶対的なものか？

(答)他者と比較するような相対的なものではない、自分の心の中にある絶対的なもの

(問)強さに「善い」「悪い」はあるか？

(答)他者を助けるために強さを使うことが「善い」ことであり、自分の強さを誇示し、弱気をくじくのは「悪い」こと。


(問)いかにして強さを得るか？

(答)自分自身の煩悩を焼き払い、阿頼耶識の種子を浄化し、そのエネルギーを他者の救済にふりむけることで強さを得る。

鬼滅の刃：伊之助の強さをニーチェで読み解く

次に伊之助の強さをドイツの実存主義哲学者ニーチェの哲学で読み解く。

□ニーチェを理解するキーワード：ルサンチマン

この世は弱肉強食の世界（1）、人の世界も強きものが弱きものを支配する（2）、弱者はいつか「神（救世主）」が助けてくださると信じた（3）、しかし現れた救世主は「汝の敵を愛せよ」と言った（4）

弱者の強者に対する「恨み」や「憎しみ」の感情をルサンチマンといい、ニーチェは神とはルサンチマンが作り出したものにすぎないとした。「強いことは素晴らしい」という騎士的価値観から、「弱いことは素晴らしい、力はないけれど優しいよ」という道徳的価値観にすり替わってしまった。それは人間の本来の生きる力を押し殺している。神は死んだのだ（＝人間に生きる意味を与えるような価値観はいずれ壊れるということ）とニーチェは主張した。

弱者が生きる意味を与えていた道徳的価値観が壊れるのであれば、生きていく意味などあるのだろうか？ニーチェは「永劫回帰」という最悪状況を設定し、その状況を乗り越える「超人」哲学を打ち出した。

□ニーチェを理解するキーワード：永劫回帰

西洋の時間は過去・現在・未来へと直線的に進み、始まりがあって終わりがあると考える。生まれた後に善い行いをすれば、死んだ後に天国に行けると考えるが、宇宙が終わり、また宇宙が始まることが永遠に繰り返されると、また同じ人生を歩む可能性がでてくる。終わりがあるから頑張れるといった側面もあると思うが、同じ人生をさらにもう一度、さらに無限に繰り返さなければならない状況を設定した。

時間が直線ではなく円環になるという点では輪廻転生に似ているが、同じ自分を繰り返すという点では異なる。この永劫回帰が正しいかどうかは問題ではない。最悪状況からどう生きる意味を見いだすかが、ニーチェの哲学の大切なところとなる。

□ニーチェを理解するキーワード：超人

既存の価値にとらわれず、「今、この瞬間を力強く肯定する」ことで、永劫回帰を肯定できるとニーチェは考えた。「強くなりたいという意志」で永劫回帰を肯定できる人が超人。キン肉マンに出てくる超人のように人間を超越した能力をもった人のことではなく、今この瞬間を肯定できる人を超人と定義している。

逆に今この瞬間を肯定できない人はどういう人かというと、既存の価値観に従って漫然と生きる人で、末人とした。ルールに従って生きることはある意味、楽ではあるが、考えずに生きると人間本来の強さが失われていく。今この瞬間を肯定せよというのは、直感的にわかりやすいメッセージではあるものの、日々の暮らしの中で実践していくのは、強い意志を持たないと困難であることがわかる。

□伊之助の強さとニーチェの哲学との関連性

猪に育てられた嘴平伊之助は、既存の価値観へのこだわりがない。強い相手と戦いたいという欲望を肯定して生る姿は、ニーチェのいう超人そのものと考える。無限列車の冒頭では列車とかけっこしようとしたシーンは個人的に印象に残っている。鬼滅の刃における登場人物の中で、「力への意思」が一番強いのは伊之助と私は思っている。

無限列車で煉獄さんが亡くなった後の炭治郎と伊之助のやりとりが象徴的なので引用する。

炭治郎「悔しいなぁ、何か一つできるようになっても、またすぐ目の前に分厚い壁があるんだ。俺は…煉獄さんみたいになれるのかなぁ…」と、立ちすくんだことに対し、伊之助「なれるかなれないかくだらねぇことを言うんじゃねぇ。信じると言われたらそれに応えること以外考えんじゃねぇ。どんなに惨めでも恥ずかしくても生きていかなきゃならねぇんだぞ」と言った。また同じことが繰り返されるかもしれないが、今の自分を肯定して生きていこうと主張した。

□まとめ：伊之助の強さとは？

（問）この世は弱肉強食の世界なのか？

（答）この世は弱肉強食の世界。伊之助は力への欲望に忠実に、強いものと戦った

（問）強さとは、相対的なものか、絶対的なものか？

(答)強さとは、伊之助個人の中にある絶対的なもの。一般的な強さに対して相対的か、絶対的な強さがあるかは伊之助には関係ないこと。

(問)強さに「善い」「悪い」はあるか？

(答)伊之助個人にとって「善い」こと。他の人にとってどうかは知らないし、興味がない。

(問)いかにして強さを得るか？

(答)今この瞬間を力強く肯定する。猪突猛進！

討議（強さについて、唯識・実存主義どちらの考えを支持するか）

基本的には唯識に近い考え方を持っていたが、伊之助・実存主義の考え方は私にとって斬新で、自分が自分らしくあるために今の自分を肯定して生きるということであれば、伊之助の考え方に共感する。（山田）

煉獄さんは父の言葉と母の言葉が煉獄さん自身の中にあり、どちらも煉獄さんの心におきた現象であるが、煉獄さんは人生の指針として母の言葉を守るという選択をした。それが長くつづいて、修行は大変だったか想像するが、そこには強い決心と覚悟があったように思う。その強さは、伊之助の強さと共通部分があるのではないかと感じている。唯識と実存主義で切り口は違えど、重なる部分があるのではないか。強さというのは、自分の中では決意とか、意志の強さとかいった観点で重要で、重きを置くものととらえる。（遠山）

意志の強さという観点では、煉獄さんも伊之助は似ているが、選択的意思と衝動的意思の違いがあるように思う。煉獄さんは選択的意思で母の言葉に忠実であったが、究極は無分別の境地まで至ったのに対し、伊之助は衝動的意思で、選択していない。西田哲学では衝動的意思を重視していたことを参考までに補足した。（羽田野）

自分の性格は衝動的なので、伊之助の感覚に近い。煉獄さんの「強い人は弱い人を助ける」という考えが、自分としては納得できず、上から目線な感じがする。私のお世話になったサークルの先輩が、出身高校の教訓について「この学園にいる人は恵まれているから、恵まれていない人を助ける」ということを得意げに話していたのが嫌で、映画を見たときにその話が浮かんできた。（土山）

出家したので基本的には唯識の立場をとるが、そもそも「鬼滅の刃」はキャラそれぞれが感情移入しやすい価値観をもっているところが特徴にあると思っている。強さにもいろいろあって、「鬼」がいてもいいではないかという寛容さがあると感じている。ワンピースという漫画では大きな目標をもち、仲間みんな大事という価値観だったが、鬼滅の刃は対比的と思った。というのは、唯識は根底ではつながっているかもしれないがそれぞれの識があり、同じ価値観ではないというところでそう感じた。（源耀）

私は場合によって異なる。今まで社会福祉の仕事をしてきたこともあり、社会的弱者にたいしてお金に余裕のある人がお金をまわすとか、そういうことを支援してきたので、「強いものは弱いものを助ける」ということはやってきたが、エゴがまざる世界でもある。社会福祉はドロドロした世界でもあり、どう整理すべきかモヤモヤしている。

先ほど、源耀さんがワンピースと鬼滅の刃の価値観は違うという話をしていたが、時代を反映しているようにも思う。例えば、ワクチンをうつ・うたないというのも一人一人が何を選択するというのも個人の選択である一方、その中でどう調和を図っていくかという問題にもなる。鬼滅の刃に出てきた「鬼」もそれぞれ共感できる過去があり、勧善懲悪でないところも、今の時代を表していると思っている。（廣澤）

私は基本的には伊之助的な価値観だが、分別なく他者を助ける煉獄さんに憧れを感じている。自分の仕事により日本をよくしたいだとか、修練した結果、それが自然にできるようになりたいと思っている。（羽田野）

龍源先生のコメント（強者が弱者を救うということについて）

仏教も上座部仏教と大乗仏教とあるが、大乗仏教をベースにお話しする。まず善とは何か、悪とは何かということになる。仏教の場合、それを行って喜び・幸せ・平安が生じるのが善で、その逆でそれを行ったこと、若しくは行わなかったことで後悔が生じること、苦痛が生じることが悪である。安楽も苦痛も生じないものはどちらでもないととらえるのが基本の立場となる。

何をもって安楽が生じ、何をもって苦痛が生じるのかが上座部仏教と大乗仏教で異なる。大乗仏教は全てのものが関連してつながっている「空」から「縁起」によって全てが生まれ出てきているという考え方をベースにするので、他者というのは存在していないと考える。

目の前にいる形而下世界の他者というのも抽象度を上げていく、仏教では勝義締に近づくというが、勝義締に近づけば近づくほど一つになっていくので、目の前にいる私ではない何かの苦痛も自分とイコールのものに近づいていく。それを救わないということは、自分を損なうという結果となる。したがって、苦しんでいるひとは救わずにはいられないというのが大乗の立場となる。

大乗の菩薩は、（一歩間違うと解釈がずれるが）滅私奉公という、自分自身の悲しみや苦しみを克服できる存在を目指すのが菩薩であり、その意味では、自分の目の前にいる弱いものを救っていくのが菩薩としての存在意義と考える。

「強いものは弱いものを助ける」という煉獄さんの信念は大乗仏教の立場であるが、猗窩座に対して「私はお前のことが嫌いだ」といったことに対して、大乗仏教ではそうはとらえず、猗窩座に対しても慈悲の心を向けていく。

討議（強さを得るために日々何をしているか）

そもそも、強さを得たいとあまり思っていいなく、直ちに感動して泣く方。泣くというと「弱い」という印象を与えるが、強さを得るために「心を燃やす」というと、感動したり共感したりするときに心が動き、次どうしようというエネルギーが生まれてくる。なので自分としては、感動したり共感したりすることにふれることがエネルギーの源泉になっている。（廣澤）

共感でエネルギーが湧くという話は分かる。いろいろな世代の人に触れる機会が最近多いが、それぞれの「強さ」に触れたときに、自分の「強さ」とは何だろうと感じることが多い。その意味では、様々な人とコミュニケーションをとることを「強さ」を得るための実践としている。（土山）

強さは武術で磨かれている部分が多い。武術というと男性的なイメージがあるが、龍源先生からならっている太極拳は男性的なもの・女性的なものが入り混じっていて、やわらかい動きが多い一方で、相手を一撃で倒すような動きもある。自分としては、武術という枠組みの中だけではやっておらず、コミュニケーションでも、敏捷的な応答性を強さとして重視している。対人との関係において責任をとれるのかというのが自分にとって重要で、敏捷的な応答性をどのように発揮していくかということを意識している。男性的・女性的な武術で、身体をつかいこなせるようになっていると、コミュニケーションでも、共感すべき場合と、強くでる場合とで使い分けていて、強さは心だけでなく身体も伴っており、強さを備えているから発揮できる慈悲というのもあると思っている。(源耀)

自分は、「鬼滅」でいうと善逸のへたれキャラだけれど、善逸をみるとそこで辞めたらだめじゃんというアンビバレントな想いを抱いている。昔から何をやっても続かず飽きてしまうタイプだったが、最近きっかけがあり、二週間くらい毎日七キロくらい走っている。何かを続けようと決めて、飽きるまで続けていくことは、強さの実践という意味では大事だと思っていて、「続けられるか？」

というのは自分の中で基準となっている。（山田）

自分が求めているものとして、アリストテレスくらいになりたいと思っている。そのために鍛えるべきは「思考力」だと思っていて、考えるということを心掛けている。考えるきっかけはなんでもよく、直近でいうと、「オリンピックを開催することは善か悪か」「ワクチンを打つことは善か悪か」といったテーマ。当然ながら直ちに答えはでないし、どこまでいっても確定はしないものだと思う。一般的には生産性もなく実用的でもないが、そういうところこそ、自分の頭で考えることが、思考力を鍛える実践となっている。私も身体を使うことは得意ではないが、頭も筋力と同じで、鍛えれば鍛えるほど、重たい内容も考えられるようになってくると思う。（遠山）

私はシンプルに「好きなことをやりたい、嫌いなことはやりたくない」というのが行動原理で、その原理に忠実であることが自分の強さの実践となっている。実際、趣味の領域は好きなことを追究しているし、仕事でも、時には嫌いなことでも仕事としてやることもあるが、楽しくなるように場を変えようと日々心掛けて実践している。（羽田野）

質疑応答（体と心の強さについて）

源耀さんのレスポンシビリティとはどういうことかをもう少し知りたい。武道をやっていると、衝動的に応答できるというのは、伊之助的な感覚なのだろうか？（廣澤）

話をしたのは衝動というよりは表層の部分であり、慈悲の衝動があったときに、現れてくるのは身体の動きや声の出し方だったりする。衝動がどうであれ、相手の状況に応じて有効な出し方ができるかというのを重視している。（源耀）

相手によって繰り出す技が違うということか？（羽田野）

武術でいうとそうなるが、演劇のアナロジーのほうがわかりやすいかと思う。例えば、女性と男性が会話をしていて、女性の怒りを収めるために優しい声を出すといった感覚に近い。演劇では声の出し方、身体の向きとかを重視しているが、それを実際の現場でも使っている。（源耀）

質疑応答（個の強さと集団の中における強さ）

鬼滅の刃の登場人物って、お互い仲が良いかというとそうではなく、時にはけなしたりもしつつ、お互いの個が活かされていて、仲間で協力するワンピースやドラゴンボールとは対照的。実存主義的なキャラが今の若い人たちにうけているというのは大変興味深い。最近、部活の指導とかで「みんな仲良く」とか「勝利に向かって一丸となって」といったことは言いにくくなってきていている。そこに違和感がある中で、伊之助・ニーチェの話があったので新鮮で響いた。（山田）

個人をつらぬける強さを高校からやしなってきたが、一緒に頑張ろうというのは、面倒くさいとかなぜひとにあわせなければいけないとか、といった思いが強い。私は平成生まれだからわからないが、昭和は本当にみんなで頑張ろうといった考えが強かったのか？（土山）

通った高校は、県内では自由な校風だったが、帰宅部というのは許されず、そこからも今と違うが、絶対的なルールが存在しているというよりは、みんなで頑張るという雰囲気はあった。そのカルチャーをもったまま高校の教員になると全体で何かをなすというより、個々の多様性というところから入らないと指導にならなかった。（山田）

社会にでると、特に事業会社では個人の自由というより、集団での利益が優先されるので、そこで葛藤が生まれる。（羽田野）

学校教育というのはしがらみを作るし、自分がその一因になっているのが嫌だったので、教員を辞めた経緯がある。型にはまった仕事はできないという自覚はあるので、和歌山で自由にできる仕事をしている。（山田）

自分は組織では生きていけない人間だと、割と早い時期にわかってしまったので、大学出たときに就活はしなかった。セミナー講師をやったり、富山で庭師をやったり、また戻ってきてアルバイトしながら哲学者をやったりしているが、他にあわせないのが自分だと確信できるのであればあわせなくても大丈夫だと思うし、そうだと主張すれば賛同する人は集まってくる。それはコストがかかるので、組織にいるよりは不安が大きい。何をやってもいいけれど、何がおこるかわからない、その不安の中に生きる、そこに喜びを見いだせるかどうかが分かれ目になるかと思う。（遠山）

龍源先生のコメント（強さについて）

まず、勝義締と世俗締の二つに分けるが、真理（勝義）の世界では二つに差はないと大乗仏教では考える。

強さということでも、勝義締における強さと世俗締における強さは別のものである。別のことであるが優劣はないということになるが、勝義締における真理とはまず空ということになる。つまり赤と白は違わない、あるとないということが違わない、あるわけでもなく、ないわけでもない。このことが完全に理解できたらブッダになるわけだが、「空」の世界に向かっていくのが勝義の在り方、ところが強さというのは弱さの裏返しとして存在しているし、弱さというのは強さの裏返しとして存在している。

このような分離する論述のことを、戯論（ケロン）というが、強さというのは弱さによって担保されているという分離がある。これが勝義の世界では打破されるべきということになる。

その意味で世俗の話になるが、勝義締に向かっていく「強さ」というものがある。つまり自分自身に対する執着をどれだけ捨てていけるか。私というものがある、私とあなたは別のものである、私の考えはこうである、私を担保しているアイデンティティーはこういうものであるというもので自分を成り立たせていくが、それが勝義締では正しくない。

ブッダの話に「強い心をもちなさい」という話がでてくるが、それは勝義締に向かう強さをもちなさいということ。自分のプライドとか信念とかを持つということは実はどうでもいいことであって、それにこだわることこそ、真理に近づくことを妨げていることを悟るよう問いかけている。

こだわりが妄分別を生み、妄分別があるから善い・悪いというものが生じ、善い・悪いがあるから悪いものをやっつけろという話になり、争いが生まれてくる。攻撃する・されるという分別が生まれるので、それを克服する強さを持ちなさいという教えであり、それが勝義締に向かう強さを持つということ。

一方で、世俗体では、弱肉強食というのがリアルな現実なので、虎に襲われて食われたとなればそれまでという話になる。ただ、世俗体における強さというのも追及していくのは意味がない。人間でボクシングのチャンピオンになったからといってマウンテンゴリラに殴り合いで勝てるわけがない。そこに価値観をおくと、マウンテンゴリラのほうがえらいということになる。

しかしその営みは大切であって、勝義の世界に向かおうとする菩提心をもっていても、武力をもって自分の道を妨げられたとき、それ以上進めなくなるので、そこを進める強さというものは必要。それはフィジカルな強さもあるかもしれないし、金銭における強さというのもあるかもしれないし、政治権力というのもそうかもしれない。大乗仏教はそこを否定はしない。

過去の業（カルマ）によって優れた力を持つというのは福徳の力であるという。福徳の力が弱い人は勉強したくてもできないかもしれないし、できたとしても到達距離が変わってくる。それが人間社会の現実だから、そこから目を背けてはいけないということになる。

その世界からどちらに向かうかというと強さも弱さもない無分別の世界を目指すことになる。そこに到達すると今だに悟っていない人を導こうという慈悲心というものが生まれる。苦しんでいる人を救おう、なぜならば、自分と苦しんでいる人の間に区別がないという勝義の直観を得ているので、それを元に苦しい人を救う、これが大乗の菩薩であり、ある意味最強の存在といえる。

私のプライドを満足させるといった考えは大乗の立場からすると小乗の考え方。大乗の菩薩は、自分のことは自分なりにクリアできている。だから他者に分け与えている。

大乗と小乗の違いは悟りを得たあとの在り方であって、大乗はブッダを目指すのに対し、小乗は自分を救済する阿羅漢を目指す。ブッダは他者をも救済できる、それが最強の力だというとらえ方をする。

皆さんに問いかけてみたいのが、大人になってフィジカルに襲撃を受けた人はいますか。私の経験として、何度か喧嘩を止めたり、暴力に遇っている女性を助けたりしたことがあるが、これは私が相手よりも強いからできたこと。世俗の世界ではフィジカルな強さが必要になるのは現実としてある。そしてフィジカルな襲撃というのはいついかなるときでも起きえる。それが起きたときにどれだけ怖いかという話だし、そこにどう対応していくかという話だと思う。

怖い目にあったときに、自分を守れるか、自分の大切な人を守れるか、自分に助けを求めてきた人を助けられるかというのはリアルな話である。武術を私が重視しているのはそこにあって、力のない人に発言権はないという世界は残念ながら存在していて、そこの世界でどう生きていくかということ。

鬼滅の刃で炭治郎が殴り殺されそうになったとき、煉獄さんは命がけでとめた。抽象度の低い話になるが、命の危険があるときに自分は止められるのか、止める力はあるのかというのはリアルにある問題。平和ボケといわれる日本において、リアルな強さというものはもっと考えた方がいいように感じている。

第六章　直観とは何か？

問いの設定

あなたは直観派か、それとも分析派か？
直観的認識が優位なのはどんな状況か？

ベルクソンの直観論

熊野古道の語り部である山田さんが、ベルクソンの直観論から熊野詣のとらえ方を語る。

□直観の定義

まず辞書(デジタル大辞泉)の定義から入るが、直観は、推理を用いず、直接に対象をとらえることとあり、感覚によって物事をとらえる直感とは異なる。今回は直観を扱う。

直接に対象をとらえるということは、いかなる媒介もなしに直接に観る働き、または直接に観られた内容をいう。直観はそれからどうとらえられるかによって様々な意味を持つことになる。デカルトは対象にふれたときに、対象自体が明確になるということと直観と解釈していた一方で、ベルクソンは、対象との合一、つまり自他合一を直観として扱った。この対象との合一によって生命の本質、純粋持続にふれられると、ベルクソンの哲学を発展させていった。

□ベルクソンの認識論（分析と直観）

分析は「物のまわりを回ること」であり、自分と物を完全に別のものとしてとらえ、認識を積み重ねていくこと。それはあくまでも相対的な認識にとどまり、一つの物を認識するのに様々な認識を積み重ねるので、分析は不完全であるとした。

直観は「物の中に入り込むこと」であり、物そのものになって見ることとしてとらえ、分析と比較すると絶対的認識であり、完全な把握ができるとした。

ベルクソンがよく使う比喩としては、手を動かしたときに、外から眺めると一瞬一瞬の静止した点の集合で手が動いたように見えるといった瞬間のとらえかたが分析である一方で、自分の手と一体化すれば、手がどういうふうに動いたかという内的認識は完全に持てるというのが直観のとらえかたとなる。視点の違い、外から眺めるのか、内から観じるのかによって認識が変わる。直観から分析にうつることはできるが、分析を幾ら積み重ねて総合しても直観を作り出せないという関係性も定義し、ベルクソンは直観を優位においた。

□意識レベルと認識傾向

ベルクソンは一番直観できるのは自分自身であるとした。自分の内面を見ていくと、知覚的なものから記憶的なものにいき、更に奥底を見ていくとまったく別の物を見いだすと言及しており、何を見いだすかというと、流動の連続と継起の状態、つまり人間の意識の根底的な流れ(純粋持続)であるとした。その状態は緊密に有機的に一体化していて、共通の生命で深く生気づけられていると考えた。この奥底に入ったときに、純粋持続を見いだすくだりはわかりにくいが、瞑想でとらえるとわかりやすいのではないかと考える。

自我も表層的な部分と深層的な部分とあるが、表層的な部分というのは私の社会的な部分で他人と言語コミュニケーションによって共通認識を得たりする部分をさす。その自我を掘り下げていくと、深層的自我がある。混然としていて無限に動的であり、言語表現不可能な自我が認識されるとベルクソンはとらえた。

次ページで表層的自我と深層的自我、分析的傾向と直観的傾向の2軸を使い、ベルクソンや他の哲学者がどう認識をとらえたか整理する。

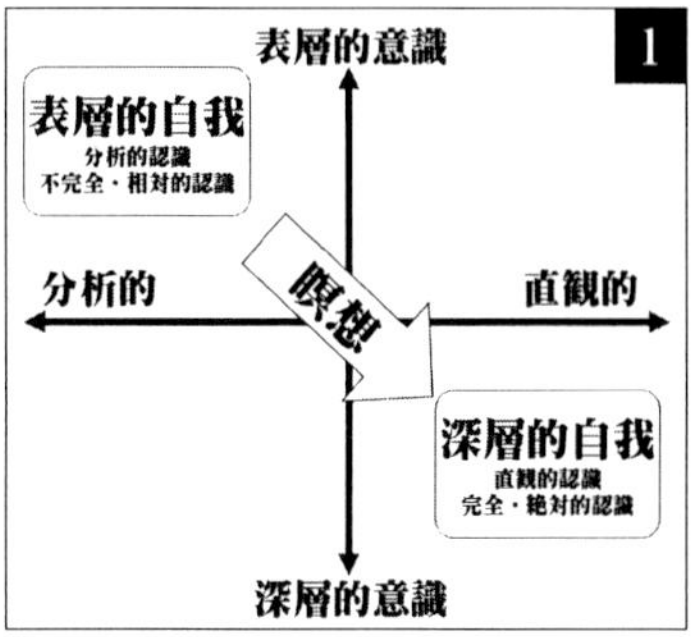

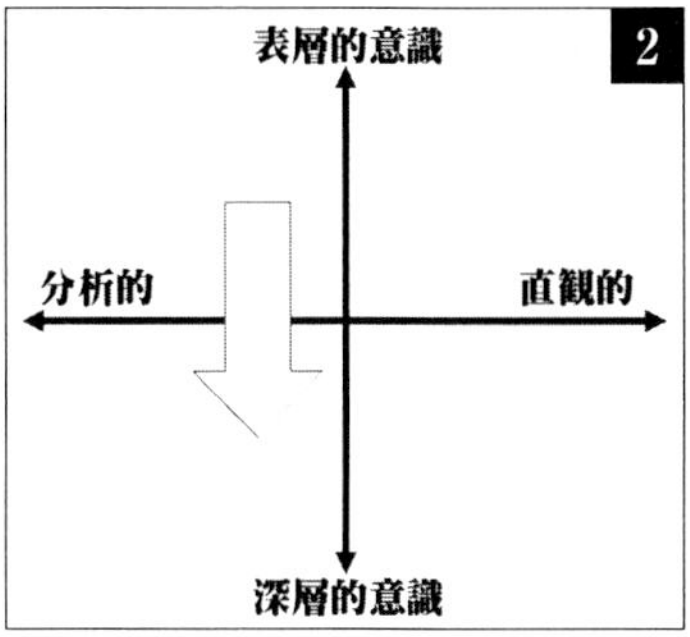

ベルクソンの場合（図1）

ベルクソンは分析から直観を作り出せないとしたが、ベルクソン自身は分析と直観は分けるといった二元論的考えが強く、分析的に物事を考えていた。それが瞑想によって意識の深層にいくに従い、直観的な方向、究極的には一元論の方向にいったのではないかと、解釈した。

デカルトの場合（図2）

デカルトの著作「省察」では、瞑想により自他がはっきり分かれてくるとしたため、自他合一にいたるベルクソンとは対照的である。瞑想で深めた結果、明証的な認識にいたることを真理と考えた。そのように考えたため、疑いうるものはなんでも疑っていくという姿勢となり、「一生に一度は、全てを根こそぎ覆し、最初の土台からはじめなくてはならない」と主張した。

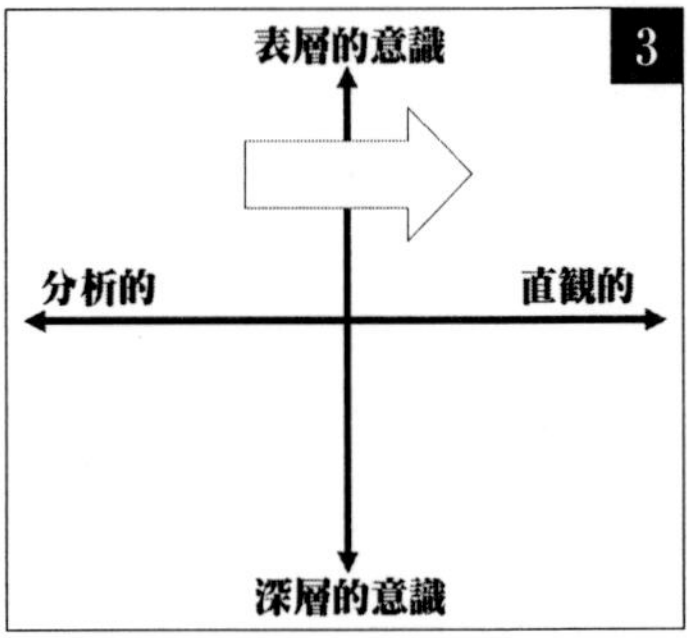

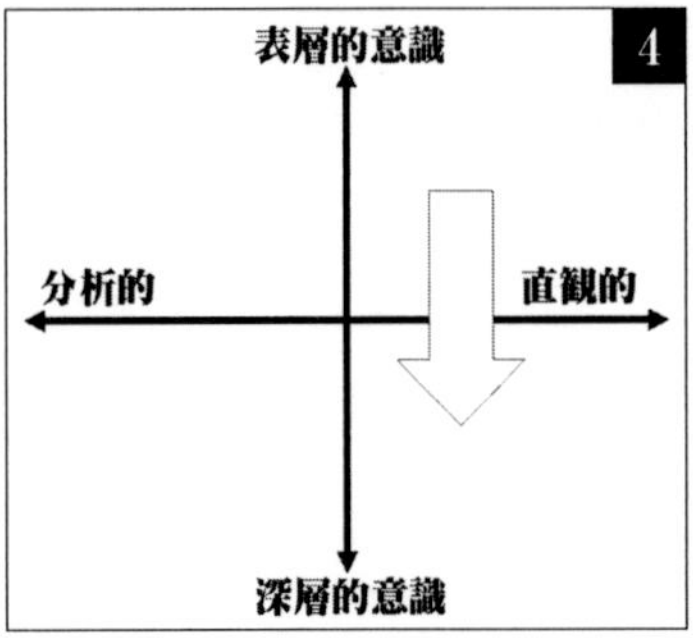

サルトルの場合（図3）

サルトルの著作「嘔吐」にでてくるロカンタンは、マロニエの根をみて、自分がマロニエの根の存在になりきったときに居心地の悪い意識となり、嘔吐を覚えたという描写がある。日本人の感覚では、花になりきるなど自他合一に違和感がないが、分析的傾向の強いフランス人だと、分析的なところから直観に入るところに怖さがあるのではないかと考える。ベルクソンはうまくそこを通り抜けたのだと思っている。

浅原才一の場合（図4）

浅原才一は下駄職人で妙好人（浄土系信者で信仰に厚く徳行に富んでいる人）と呼ばれている。経典として浄土宗を理解しているというよりは、自分の中に阿弥陀仏が生きている人で、その中で自分の仕事を続けていった人。南無阿弥陀仏と念仏を唱えながら、俳句とも詩ともつかない作品を残していくが、概念的な話をまったく使わない。南無阿弥陀仏を唱えながら自分を掘り下げていくところを鈴木大拙も「日本的霊性」で高く評価した。

意識レベルと認識傾向に関する質疑応答

(問)デカルトは方法的懐疑で疑えぬものを突き詰めていったが、深層意識まで入っていったのか。深層に入る一歩手前ではないかと思うがどうか(羽田野)

(山田回答)深層意識まで突き抜けていけば、神の問題に進んでいったかと思うが、いるというところで満足してしまっているので、そういう意味では突き抜けが不徹底で終わっているかもしれない。

(問)サルトルの嘔吐のように、表層的意識の分析的傾向から直観的傾向に向かうのは、禅問答のように、固定概念を崩していくプロセスに近いという感覚をもったがどうか(羽田野)

(山田回答)臨済宗の禅問答は意図的に嘔吐の状態を作るという理解であっている。嘔吐の状態から自分の認識が変わっていくことを目指しているのではないかと思っている。

(問)浅原才一のケースは、例えば野球選手が素振り練習でバットを振るうちに、無駄な動きがそぎ落とされて、洗練された動き二なるという感覚に近いのではないか(羽田野)

(山田回答)同じ行為を繰り返して質が転化していくという点で解釈としては正しい。

（感想）ピアニストが楽譜を見ながらピアノを弾くという行為は、表層的意識の分析が働くので左上での意識レベルだが、修練して音楽と一体化すると深層的意識で直観が働く。このような場合がベルクソンのような表層的自我から深層的自我にいたるのではないかと思った。（岩田）

龍源先生のコメント（仏教における認識について）

仏教というのは自分自身を正しく認識するのは普通の状態では無理であり、そういう意味では深層的自我までおりて何かを直観しなければいけないという、ベルクソンの主張は仏教と近いものがある。直観という言葉は2世紀くらいの古い漢訳経典にもでてくる。

分析的な理解ではいけないというのはまさにその通りで、禅でいうところの不立文字《ふりゅうもんじ》、つまり直観された真理というのは言語では表現不可能と考える。真言宗の場合は、真言とか印とかシンボルで表すということをする。

言語で表現可能なもの、唯識でいうと認識したものは表現可能であると考える。四角だったとか丸だったとかは、認識したら表現が可能だが、直観されたものは言語にした途端に一部でしかなくなるという傾向がある。唯識では転識得知《てんしきとくち》といって、わかったと認識したつもりになっているものから、それが何であったかを知るという言葉があるが、ベルクソンの例であった、手の側からみて観じるというのは近似した考えだと思いつつ、ベルクソン自身は二元論でとらえたりだとか、デカルトは西洋的思考が強い傾向から、仏教的世界観とは相容れないと感じるし、サルトルが嘔吐を覚えるというのも我々には理解できない感性だが、そういった基礎文化に違いがあることに面白さを覚える。

表層的自我から深層的自我にいく流れで思いついたのは、鬼滅の刃の善逸。普段は怖いことがあると絶対に死ぬと感情を露わにするが、いったん気絶すると非常に強くなり、直観的になり、彼の真の力が解放されるシーンを思い出していた。

熊野詣について

（山田さんの語りは続く）もともと自分は教師をやっていて、しんどさを感じていたときに、熊野古道を歩く機会があり、そこから熊野古道にはまり、語り部にまでなった。

□熊野詣の概要

そもそも熊野詣というのは、紀伊半島の南端にある、熊野本宮大社、熊野速玉大社、熊野那智神社の熊野三山に参詣することが、平安時代から続く熊野詣の起源と言われている。

京都から大阪まで船で移動し、紀伊路・中辺路を通って本宮にいき、速玉・那智を巡って本宮に戻り、またもとの路で京都まで帰るのが当時の巡礼ルートで、私はそのルートを辿った。それ以外にも高野山から本宮までいく小辺路ルート、伊勢神宮から三重県南部の海岸沿いを南下して巡る伊勢路ルート、田辺から海岸沿いを南下する大辺路《おおへち》ルート、吉野から本宮を目指す山岳修験の大峯奥《おく》駈道《がけみち》のルートがある。

□歴史的意義の変遷

平安から鎌倉時代に、上皇・法皇が多くの従者を引き連れて参拝。神社に詣るというよりは、熊野三山を極楽浄土に見立てた浄土信仰が発端となっている。浄土信仰は浄土へいたるための滅罪の信仰であり、回数が多いほど滅罪になると思われていたので、回数を競う傾向があった。実際、後白河上皇は34回も参拝したという記録が残っている。

鎌倉時代以降は庶民に熊野詣がうつり、記録に乏しくなってくるが、「蟻の熊野詣」といわれるほど多くの人で賑わっていた。近世になるともともとの熊野詣自体は衰退するが、伊勢から熊野詣の逆ルートを通る西国三十三観音巡礼が流行り、形を変えて存続してきた。

明治時代以降はあまり巡礼されなかったが、１９７８年に文化庁が「歴史の道」に指定したことから、観光ブームが起きた。観光資源に乏しい和歌山としては車道整備を進め、徒歩で歩いていたもともとの道はいくつか壊された。

その観光ブームの恩恵もあり、２００４年に「紀伊の冷罵と参詣道」として世界遺産に登録された。世界遺産登録に伴い、海外からの来訪者が急増した。特定の宗教性は求めないが、何かスピリチュアル（霊性的）なものを求めてくる人は多い。普通の人は神社参拝だと思っているが、浄土思想などの仏教の影響を受け、主教的重層性を理解している人は少ない。

□ベルクソン的な認識論から考える熊野詣

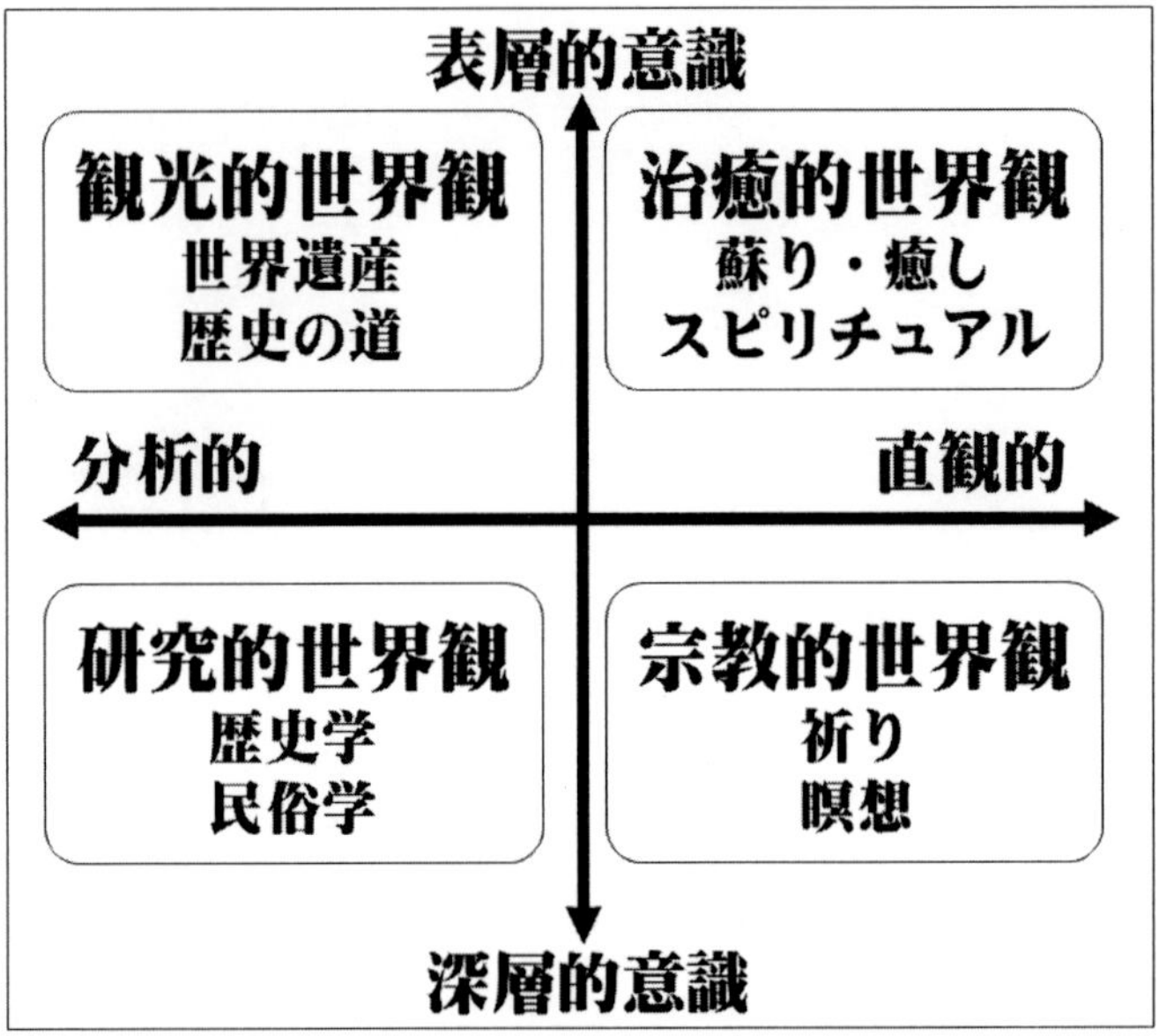

熊野に何を求めているのかという視点で、ベルクソンの認識論で整理したのが上図。普段観光で案内しているのは世界遺産や歴史の道の観光で訪れる人達で、左上の象限。

自分はガイドとしてあまり立ち入らないようにしているのが、スピリチュアルなものを求めて訪ねる右上の象限。個人で訪れる分には構わないと思うが、東京などからスピリチュアルツアーとして高額な料金で回る団体は個人的に違和感を覚える。

それほど進んではいないが、歴史学・民俗学で熊野を見るという左下の象限もあり、自分自身はもう少し、その視点も深めていきたい。

自分自身は右下の象限である、祈り・瞑想による気づきを目指したいと思っている。川霧がたったところを歩いたときに感じることだとか、地層が変わるところにご神体があるとか、本当の熊野の魅力というのはこういったところにあると感じていて、観光で訪れた人に押しつけがましくなることなく、伝えることを目指していきたい。

討議（旅をするとき分析的か、直観的か）

※普段はオンラインで討議しているが、この会はリアルで集まって討議を実施。山田さんの奥さんのこのみさん、寶幢寺《ほうどうじ》のスタッフ、米谷さんも討議に参加した。

もともとは直観的なタイプだが、哲学を学んだ影響で後天的に分析的思考を得てきたと思っている。大学の時は行き当たりばったりだったが、自分の傾向が見えてくると、山にいった時、図書館に行った時、それぞれどういう気分になるかわかってきたので、散歩などでも旅に出る前に、こういった気分になるだろうという漠とした期待を抱く。傾向としてはベルクソンに近いと思っていて、分析的に物事を考えながらも、直観を得たいという思いが働く。（遠山）

どちらかというと直観派だと思っている。先日、学生時代によく訪れていた寺に足を運んだ際、コロナの関係で内部公開を辞めていた。事前に調べることはしなかったし、その後山を散策しようと思いつき、歩き始めたときに革靴を履いていたことに気づいたことがあった。景色みたさにそのまま上ったが、割と無鉄砲に、やりたいと思ったら突き進み、後悔するタイプだと認識している。昨今、少しずつ分析的になってきている状況を踏まえると、サルトルのベクトルの逆、つまり表層の直観から横滑りして、分析的になってきていると思う。（岩田）

無計画で旅をする。旅で出会った人に次に言った方がよい場所を聞き、また次の場所で在った人から情報を聞いて動くことが多い。その方が楽だし、最後振り返ったときに、こういったテーマで自分は旅をしていたと感じることも多い。気持ちとしては浅原才一のように直観の方だけで生きていきたいが、人からそれだけではダメと言われたことがあり、直観だけで生きていくことに不安を覚え、後から分析を入れていくようにしている。（廣澤）

コンサルタントという職業柄、分析的思考が強い。お城好きで、お城を目的に旅をすることが多いが、事前に訪れる城の資料はファイリングし、移動中に確認しながら、どのように攻めるかとか、歴史を調べて城主の気持ちに思いを馳せる。現地に訪れた後は、分析を辞めてできるだけ見たものをそのまま感じるようにしているが、入ってきた情報を城郭の知識と比べているので、常に表層の

分析的思考が働いているように思う。（羽田野）

旅にいく前は、羽田野さんと同様、下調べに時間をかける。例えば、知床に行くといった場合、旅行雑誌を5冊くらい読み込む。宿を予約し、訪れたい場所やレストランなどスケジュールをたてるが、訪れた後は立てた計画が意味をなさなくなるくらい、行き当たりばったりの旅をする。ある意味、ベルクソンを踏襲していて、行く前は表層的自我で分析的思考を働かせながら、訪れた瞬間、舞い上がってしまって直観の方に転換してしまうタイプだと思っている。（山田）

熊野古道巡礼の旅であれば、ある程度準備はするけれども、天気や体調の関係もあり、どうしても計画した通りにはいかず、その時々で直観や分析が働いているように感じるが、そもそも目的地になぜ行きたいのかということは、直観が優位に働いていると思う。（このみ）

自分は自転車旅が好きで、大学在学中に自転車をパッキングして海外まで運んで1～2ヶ月旅をすることをよくやっていて、南米や中央アジアなど12カ国回った。目的地を決めるのは、もともと自分が知らない国であるということを理由に直観的に決めていたように思う。旅先でも短期的には分析的に訪れる場所を決めて行動することはあるが、直観で動くことが多い。（米谷）

討議（旅に何を求めるか）

旅先のカフェとかで思索にふけって、言葉に集約することを求める。今年の元旦の思索で集約されたのは静謐という言葉。後追いで調べてみると静謐という言葉は、「力が張り詰められているが、あらわれていない状態。現れていないけど蓄えられている状態」といった意味があり、天下静謐がよいとされている。静かな状況に自分を置き、改めて自分を掘り下げていき、言葉にする、指針となる言葉が見つかればよいなという想いを抱く。今回は京都に訪れて、哲学の道を歩くが、何か自分の中にあるものが見つかればよいなと期待を抱いている。まとめると、思考を形にすることを旅に求めている。（遠山）

現実逃避やストレス解消を目的に旅を始めるが、現地で旅をしている時は面白いものにひかれて脇道にそれることが多い。人気のある通りよりも裏通りを歩いて隠れた名店を探したがりするので、うまい表現が見つからないが「宝探し」を求めているように思う。（岩田）

旅先で出会った人に話を聞いて、その人の世界観を感じるのが純粋に楽しい。それは自分との出会いかもしれないし、その人との出会いかもしれない。そういった知らなかったものとの出会いを

旅に求めている。（廣澤）

知らないところを見たいという傾向があるが、日常で感じている生きづらさを打ち砕きたいという想いがあるかもしれない。ユートピア探しが原動力になっていて、中央アジアの遊牧民を見ていると、暮らし自体は貧しいけれども、こういった生き方があるのかと感じるところがあって、普段の生活でもユートピア探しがキーワードになっていると思っている。（米谷）

情報をたくさんインプットして整理することを仕事でやっていて、旅でも同じことをやっている。得意だからやっているのか、好きだからやっているのかわからなくなることあるが、多分好きなのだと思う。分析をずっと働かせているが、自分の中に新しい情報がシナプスとして形成されていく快感を求めているように思う。（羽田野）

旅は日常と違う空間・時間に自分を置く。違う次元に自分の身を置きたいという欲求が常にあり、それを旅に求めている。高校の教員をやっているときは旅に行けたとしても1日か2日くらいで、その状況でフラストレーションがたまった結果、3週間の旅に出るために、教員を辞めたことがあった。日常の静から旅の動に反転することに面白さを感じている。（山田）

会社員をやっていたときの旅はリフレッシュするためのものだったが、熊野古道巡礼をするというのが目的に変わっていった。京都から熊野古道まで後白河上皇が33回訪れたという記録があり、自分たちもそれに習って33回実施しようとしているが、目的が何かはわからない、わからないからこそ歩きたいという想いがある。仕事ではなく、自分の心と対話する、自分と向き合うつもりで今は歩いている。（このみ）

龍源先生のコメント（直観について）

旅に求めるものに関して、基本的には目的がないと動かないので、ふらっと旅に出るということは皆無。弘法大師が訪れたところは修行で回っているが、目的を達成したら時間が余っても寄り道をせずにすぐ帰ってくる。そういった意味ではベルクソンに近く、分析的思考から一気に直観のほうに到達し、それ以外のものはいらないと思っている。

転識得智《てんじきとくち》という言葉がある。識というのは、唯識でいう阿頼耶識《あらやしき》・末那識《まなしき》・意識・前五識《ぜんごしき》（眼耳鼻舌身）の八識で、識が在るのは悟っていない状態。サンスクリット語でいうと、ヴィ・ジュニャーナというが、ヴィというのは「分ける」とか「それぞれにする」という意味で、ヴィ・ジュニャーナは物事を分析し、分けたうえで認識するということ。コップに入っているお茶をみて、コップがあり、その中に緑色のお茶があるということがわかるというのは、分けて識覚しているので、ヴィ・ジュニャーナであるということ。これを悟りの状態に持って行くというのは、ジュニャーナにならなければならない。これが直接的に知るということ。

ジュニャーナになると、阿頼耶識《あらやしき》が大円境智《だいえんきょうち》に転じ、末那識《まなしき》が平等性智《びょうどうしょうち》に転じ、意識が妙観察智《みょうかんざつち》に転じ、前五識が成所作智《じょうしょさち》に転じる。大円境智《だいえんきょうち》というのは、鏡が物事をそのまま映し出すように、そのまま知るということ。平等性智《びょうどうしょうち》は、あらゆる物事に違いはなく、等しく知る、知るという行為に差異はないということ。妙観察智《みょうかんざつち》は、それが何であるかを観察できるようになることで意識ではなく、意智になるということ。成所作智《じょうしょさち》は、行いを成すことに対する智恵を得るということ。これを更に超えていくと、プラ・ジュニャーとなり、知るということを超えた知るとなり、完全な直覚智で、それが悟りということになる。

大円鏡智《だいえんきょうち》は悟りの領域に近く、鏡が映し出すように知ることができるが、それもまだ知るというレベルにとどまっていて、そのまま映し出すものの、映し出した者が究極的に何であるかは鏡は映し出さない。因果関係があってここに在るとか、これの導く先が一万年後どうなっているかとか、液体というものがどういうものかというのは大円鏡智《だいえんきょうち》といえども写さない。

４つの智（大円鏡智・平等性智・妙観察智・成所作智）がプラ・ジュニャーナになった瞬間にこれの真の姿が直覚される。識というものとはまったく違う作用になってくる。

旅の話になぞらえると、目的地にいって何をするといったことを計画するのはヴィ・ジュニャーナで、旅に出て実際に訪れて美しいと感じたりするのはジュニャーナに転じるということ。プラ・ジュニャーになると、それそのものとして万物と調和している状態。森羅万象全て自分の中にあり、自分自身も悟りそのものだし、自分に色覚されているものは自分の中にあるし、それも真理でしかなくて、美しいというのも美しくないというのも究極的にはないといった境地にいたる。

旅に出て自転車にのって転ばないようにするのはヴィ・ジュニャーナで、自転車のセッティングはこれで合っていたよし行けると感じるのがジュニャーナ、そして転ぶ瞬間に空が青いと感じたとき、プラ・ジュニャーが一瞬、顔をのぞかせるといった具合。私たちは悟っていないので、すぐにヴィ・ジュニャーナに戻りどうするかを考えている。我々はそこを行きつ戻りつしているのだろうと一連の話を聞いて感じた。

プラ・ジュニャーの対極に徹底したヴィ・ジュニャーナがあり、その中間地点の少々左右にずれたところにプラ・ジュニャーとヴィ・ジュニャーナそれぞれのジュニャーナがあると言った状態。これを行ったり来たりしているのが我々であって、仏教的には瞑想でプラ・ジュニャーの世界に一気にいって、そこから逆照射されるヴィ・ジュニャーナに戻ってくる。ヴィ・ジュニャーナに止まっているのと、プラ・ジュニャーから戻ってヴィ・ジュニャーナにあるのは同じ状態でも異なる。それが悟りと迷いの違いであるといえる。

こういったプロセスを顧みると、仏教とはベルクソンの考え方に近いと感じた。

第七章　美とは何か？

問いの設定

美は現実の欲求と関わりがあるのだろうか？
美を表現する対象はどのように決定されるのだろうか？
美は外的世界となんらかの関係を持つのだろうか？

この章では、哲学を語る会のメンバーそれぞれが、お気に入りの芸術家・思想家が主張する「美」を紹介し、「美」について語り合った。

岸田劉生が主張する「美」

岩田さんが、岸田劉生の主張する「美」を語る。

□岸田劉生について

岸田劉生（1891〜1929）は写実主義の洋画家。黒田清輝に師事し、大正から昭和初期に活躍。柳宗悦《やなぎむねよし》や武者小路実篤とも親交があった。没後に出版された「美の本体」は劉生の美術感がまとめられており、序文で武者小路実篤は「彼(劉生)はいつも美に忠実な男だった」と残している。代表作は娘を描いた麗子像でデッサンも含めると数十点の麗子像が残されている。

□内なる美

美は善の姿であり、善は美の心である。そして、美というものは人類の内面にあるものである。その「内なる美」は表現を欲し、人類の意思となった。人類はその世界と自然と協力して美化すると劉生は著書「美の本体」で記している。

美化しようとする「内なる美」の欲求を、美術という制限された技法を用いて世界を装飾するのが、美術家の仕事であり、美術家の本分であると劉生は考えた。この「内なる美」の考え方はプラトンのイデアに近い概念ではないかと考える。

□写実の欠如

美の主張は、他の芸術家も似たようなことを論じているが、写実主義の画家である劉生が「写実の欠如」といっているのは面白い部分。

美そのものは無限なる善の姿であるのに対し、その美を表現する手段は、絵の具やキャンパスなどの有限なものであるから、世界にあるものをそのまま写し取っても対象の美を表現しきれないとした。よって、美術上の唯心的領域というものは、「写実の欠如」が深く現れているとした。劉生自身、写実を否定しているわけではなく、写実を追求した上で、写実を欠如させ、画家の心の目がとらえた本質的な何かを盛り込むことで美が完成すると考えた。

内なる美とイデアの関連性について討議

イデアは理想の世界、最高位は善とプラトンは言うが、プラトンのイデアの概念は自分から離れたところというのが大前提にある。人間界から離れたところ、断絶したところでなければならないことが前提にあるので「内在」してはいけない。内在するのはあくまでイデアの影。昔触れたイデアの面影とか、遠い思い出とか、それを思い出そうとして頑張っているのが人間という考え方。そこはアリストテレスが最も攻撃したところ。アリストテレス主義者の私からいうと、言葉は悪いかもしれないが、プラトンのイデアは努力目標というか、理想像にすぎず、それに向かって努力する人間の営み、変化そのものこそ実在であるとアリストテレスは主張する。岸田劉生の内なる美はそういうものととらえているのではないか。芸術家の中に求めたい欲求があり、進んでいきたい欲求が、絵や彫刻などの形に表れてくるのではないか。ということであれば、イデアというよりアリストテレスの可能態・現実態に近いと思う。（遠山）

プラトンのイデアを努力目標とするならば、「努力目標」であってもよいと劉生がとらえている節もあり、そこにむかうあくなき探求を劉生はとらえていたと思う。（岩田）

岡倉天心の主張する「美」

羽田野が、岡倉天心の著作「茶の本」をテキストに、岡倉天心が主張した「美」を語る。

□岡倉天心と「茶の本」について

思想家・岡倉天心（１９６３～１９１３）は近代日本における美術史研究の開拓者で、英文による著作で日本の思想を海外に紹介した。

日本の茶道を欧米に紹介する目的で１９０６年に「茶の本」を出版。同時期に武士道が紹介されていたが「武士が喜んで身を捨てさせる死の術」であるのに対して、茶道を通じて「生の術」を伝えようとした。お茶自体は西洋にも受け入れられており、茶道を禅・道教の関わりからとらえ、日本人の美意識を解説した。

□道教の影響

道教は、常に変化していく相対的なものを絶対ととらえ、道（タオ）とは経路というより「通路」であり、新しい形を生み出そうとして元に戻る永遠の成長であると考える。また「虚」に本質があると考える特徴がある。

道教の考え方がどのように影響しているかというと、待合から茶室に通ずる庭園の小径は静慮の第一段階であり、自己啓示への「通路」であると考え、茶室の中に余計な装飾を省く、つまり空《す》き家《や》の思想に現れている。

□禅の影響

道教と同じく、相対性を重視する。現世に来世と同じ重要性を認める、事物に大小の差別はなく、1原子といえど宇宙に匹敵する可能性を所有するという考え方から、極致を求めるものは自己の生活の中に精神性の反映を発見せねばならないと考えた。

人生の些事に偉大さを認めることを茶道の理想としているのは禅の影響によるもの。また、四畳半の茶室に、八万四千のブッダの弟子を迎えるという考え方も、悟りを開いた者において空間は存在せず、大小の差別はないとする禅に影響をうけている。

□芸術鑑賞の在り方

茶の本では、芸術作品は作者の自己表現として完結するものではなく、鑑賞者と相互関係によって成り立つと論じている。作者は、作品の価値を直接的に外に出すのではなく、暗示を用いて鑑賞者にメッセージを送る。鑑賞者が作品に共感するとき、作品は生ける実在となり、友情の絆でそれに惹きつけられるように感じると、芸術鑑賞の在り方について論じた。

この考え方は数寄屋が非対称の作りをしていて、不完全さを尊ぶ精神を象徴している。真の美は、「不完全なものを前に想像力が仕上げの働きを果たす」精神の動きに見いだされるのである。

若干乱暴なたとえになるが、ＡＫＢ48の「クラスで2番目にかわいい女の子」「会いにいけるアイドル」というコンセプトは、不完全なもの（1番ではない）を尊ぶ、自己の生活に近いものに、精神生活の反映を認める天心の考え方に近いと考えている。

龍源先生のコメント（道教・禅の影響、不完全さについて）

□道教と禅の影響について

道教と禅はどちらも通行があり、どちらの考え方が道教だとか禅だとか、切り取れない部分がある。道教と禅が一体となって茶に影響しているというのは、その通りだと思う。

先程の岸田劉生にもあったが「欠如」とか何かが無いということにフォーカスしているのは、仏教を前提とした日本人ならではと感じる。一神教だとそういう発想にはなりにくい。

□不完全さのとらえかたについて

大学生と話をしていた際に、チョムスキーが「言語阿頼耶識」といったものがあるのではないかと主張していた。その人が生まれ育ったときに接続していた「意識の集合体」により脳の認識の仕方が変わってしまうという仮説がある。

「古池や　かわず飛び込む　水のおと」といった芭蕉の句も我々日本人は無自覚に、かえるは一匹だと思うが、海外の方は「かえるは何匹いるのか?」という質問がきたりするらしい。となると、根源的に見えている世界は違うということを思い、我々日本人は空間というものを感じる発想があるのではと強く感じるところがある。

柳宗悦《やなぎむねよし》が主張する「美」

廣澤さんが、柳宗悦の「用の美」をテキストに民藝品の美について語る。

□柳宗悦について

東京都港区生（1913〜1961）、東京帝国大学哲学科卒業。朝鮮陶磁器の美しさに魅了された柳は、朝鮮の人々に敬愛の心を寄せる一方、無名の職人が作る民衆の日常品の美に眼を開かれた。そして、日本各地の手仕事を調査・蒐集。

1925年民藝運動を本格的に始動。1936年、日本民藝館が開設されると初代館長に就任。晩年には、仏教の他力本願の思想に基づく独創的な仏教美学を提唱し、1957年には文化功労者に選ばれた。

□用の美について

日本各地の焼き物、染織、漆器、木竹工などの日用雑器、朝鮮王朝時代の美術工芸品、江戸時代の遊行僧・木喰《もくじき》の仏像など、それまでの美術史が正当に評価してこなかった、西洋的な意味でのファインアートでもなく高価な古美術品でもない、そんな無名の職人による誠実な手仕事による民衆的美術工芸を「民藝」と名づけ、世に紹介することに尽力した柳宗悦の提唱により生まれた概念。

□民藝品の定義

焼き物、漆器などが全て民藝品と扱われるかというとそうではなく、次の条件を備えた作品を民藝品としており、総合的な観点で美を見いだしている。

実用性。鑑賞するためにつくられたものではなく、なんらかの実用性を供えたもの。

無銘性。特別な作家ではなく、無名の職人によってつくられたもの。

複数性。民衆の要求に応えるために、数多くつくられたもの。

廉価性。誰もが買い求められる程に値段が安いもの。

労働性。繰り返しの激しい労働によって得られる熟練した技術を伴うもの。

分業性。数を多くつくるため、複数の人間による共同作業が必要である。

伝統性。伝統という先人たちの技や知識の積み重ねによって守られている。

他力性。個人の力というより、風土や自然の恵み伝統の力など、目に見えない大きな力によって支えられているもの。

□柳宗悦が民藝品に美を見いだした理由

工業化が進み、大量生産の製品が生活に浸透し、日本各地の「手仕事」の文化が失われていく状況にある中、近代化＝西洋化という安易な流れに警鐘を打ち鳴らす意図があった。各地の風土から生まれ、民衆の生活の中で使われる日常の雑具に、用に即した健全な美を見いだし、そこに美の本質があると考えた。

□仏教に影響を受けた美論

他力の力をも受け取ることによって、美は生み出されるという独自の美論、「美の他力道」を主張した。また、親鸞のお経の中で出てくる、無有好醜《むうこうしゅ》(仏の世界において美醜の区別なし)の世界観にも着目し、優れた芸術家の作る作品ではなく、名もなき職人の手によって作られた作品に美を見いだした。

龍源先生のコメント（無有好醜について）

中観哲学で、全ての認識されるものは原因と結果の連鎖により、仮にそう認識されるという考え方が大乗仏教のベースにあるので、絶対的にこれが好ましいとか、これが醜いということはありえないということ。認識力がそれを好ましいとみるのでそれを好ましいとみるし、醜いも同じことで、仮の状態としてその人にそう認識されていることにすぎない。

真善美が「ある」という考え方とは完全に対立する。真善美とかは「無い」とするのが仏教の基本的な立場なので、そういった意味では、無有好醜というのは、本質的には存在しないということを柳さんは仰りたいのではないかと推察する。

龍源先生のコメント（民藝品が他力性を必要とすることについて）

おそらく、作り手が匠ではないということに起因する。このようなものを作ると綺麗と主張するのは一点ものの芸術作品を作ろうとする行為である一方、民藝品はとにかく数を作ろうとする。そこには巧んだ心というものがなく、自分が美しいものを作ろうと職人が作り出したものではなく、他力的に、用にあわせるために、大量生産であったり、素早く作ったであったりした結果、美が宿ったというのは、それは自力ではなく、他力であるということを言いたかったのではないかと考える。

坂口安吾の「美意識」

山田さんが、「堕落論」「日本文化私観」をテキストに安吾の美意識について語る。

□坂口安吾について

坂口安吾（1906〜1955）は小説家、評論家、随筆家。戦中戦後の混乱していた時代に、太宰治と並んで無頼派と称された作家の一人。「白痴」「堕落論」「桜の森の満開の下」「日本文化私観」が代表作。

□安吾の美意識

小菅の刑務所、ドライアイス工場、戦艦といった、普通の感覚では美を見いだせないものに美を見いだした。

まず、小菅刑務所は、刑務所だから当然ではあるが、美的装飾が一切ない。そういった装飾を省いたものに美を見いだしており、「懐かしい気持」を感じると表現している。

ドライアイス工場についても、一切の美的考慮がない建物であり、隣にある堂々とした聖路加病院の建物と比較しても、緊密な質量観があり、遙か郷愁につづいていく大らかな美しさがあると表現している。

軍艦は、無駄がなく謙虚な感じをさせるところに美を見いだした。

この三つのもの(刑務所、ドライアイス工場、軍艦)に共通するのは、美しくするために加工した美しさが一切なく、必要のみが要求する独自の形ができあがっていること。必要のやむべからざる生成という別の表現もしており、安吾はそこに美を見いだした。

□安吾の実質主義

安吾は「美は、特に美を意識して成されたところからは生まれてこない」『やむべからざる実質が求めたところの独自の形態が、美を生む」と実質的なところに美があり、小説の真骨頂であると主張した。そう主張しながらも、安吾の文体には無駄が多く、矛盾しているのだが、個人的にはそこが安吾の作品の魅力と思っている。

質疑応答（安吾の美意識について）

□堕落論との関連

坂口安吾の堕落論は、堕落して堕落してこれ以上堕落できないところに、人間のプライド・本質があり、そこから抗おうとするところに人間の強さをみるといったメッセージがあると思っていて、その観点からいうと、ある意味堕落した人間が収容され更生しようとする刑務所に美を見いだしたり、破壊はするものの抗おうとする戦艦に美を見いだしたりするのは堕落論に通ずるものがあると感じた。（羽田野）

山田が安吾から受け取ったメッセージというのは、美が何であるかは問題ではない。受け取った本人が素直に美しいと思えるか、それとも違うと思うのか、が重要。ただ堕落を賛美しているだけではなく、堕落しかないとか堕落する在り方が自分にとってどうなのか、というのが安吾が投げかけていること。当時戦争で旦那が死んだ婦人がいたとして、もしまた好きな人ができたら再婚も肯定し、生きていくためには闇市で働くことも肯定していたと考える。（山田）

□刑務所に美はあるのか

岩田が取り上げた劉生の場合、美は装飾だと主張する。劉生にとって美しいものを感じて造るといった美意識があるが、劉生がこの話を聞いたらどう思うのかという疑問が生じる。用の美は大量生産ではあるものの、なんらかの美を認めるだろうが、装飾的なものがないものに対して美を認めるのだろうか。（岩田）

個人的には美術品としては古いものとかシンプルなものに惹かれ、刑務所をどうやって好きになるのだろうとは思っていた。フランスの美術館でルーブル、オルセー、ポンピドゥがあり、ポンピドゥだけは何回行ってもわからず、それと同じ感覚を刑務所の美にも抱いていた。刑務所に美を見いだすにはどうしたらよいのかというのはポンピドゥが分からないのと同じ感覚でとらえている（山田）

クロージング（全体を通しての感想）

民藝の話はヨーロッパでもアートアンドクラフト運動というかたちで起こっていて、民藝品の定義はほぼ一緒だったが、他力はなかった。やはり人間が作るというのが大前提にあった。そこは西洋東洋の根本的なところに見方の違いがあるように感じた。

堕落の話は居心地の良さを感じていて、何をもって堕落とするかが問題で、ただ酒を飲めばよいかとか寝坊すればよいとかという話ではない。戦後に書かれた本で当時の状況は想像しかできないが、戦後の混乱した状況からある意味キチンとしなければいけないとか、整った状況がよいといった風潮に対して、それを本当にやりたいのか、生きている実感が得られるのかという問いを投げかけたのが堕落論だと思う。落ちてもどっかで浮上するポイントを見つけよという主張ととらえるのであれば、受け止めやすいように思えた。（遠山）

自分としてはこれが美だと示してくださる美術論がわかりやすく、枯山水はギリギリわかるが、用の美とかお茶の美はわからなかったが、今回の説明を聞いて、学ぶきっかけができ、今度一回読んでみようかと思った。（岩田）

真善美というのはなく、心の中にあると仏教ではとらえる。自分が何に美を感じるのかが、その人にとっての美だから、相対的でしかない。本日取り上げた4人はそれぞれ異なる視点で興味深かった。最後の坂口安吾は、皆が美だと主張するものを否定する、ある意味ひねくれた人だと思ったし、用の美は量産性・実用性に美を感じるし、茶室の小径は坂口安吾風にいうと、これがうつろを感じるでしょということに反駁《はんばく》を感じるだろうけれど、しかしそこに美を感じる人もいる。そういった不揃いさにも美を感じるところもあり、興味深い時間だった。（龍源先生）

第八章　分配とは何か？

問いの設定

社会の富をどのように分配すべきか？

分配は誰が決めるべきか？

富の偏在が生じる資本主義の特徴

分配を論じる前に、富の偏在（格差）が生じる資本主義の特徴について簡単に触れる。

マルクスは資本論において、お金（G）でものを仕入れ、付加価値をつけて商品（W）を作り、またお金（G*）に交換して利潤を得る公式を提示した。マルクスが問題視したのは商品を作るのに必要な労働が隠されていること。資本家が利潤をえるためには、労働者から搾取する構造が生まれる構造になっていることが資本主義の本質であると指摘した。

この資本主義の構造が生み出す特徴を次に列挙する。

□市場優位であること

商品を自由に売買できる市場が存在し、市場評価が社会の評価よりも優先される。つまり、儲かることにしかインセンティブが働かず、逆に言うと儲かれば何でもありというルール。企業がお金を調達するときに株式を発行するが、その株式も企業の実力値というより、市場の期待値により株価が決定される。なので経営者の中にはリストラを断行して株価を上げて儲けを得ようとする人も出てくる。

□インセンティブがある

投資家にとってはお金を投資することはリスクでもあるが、私有財産権が認められていることと、頑張ったら利潤が得られるというインセンティブ（動機付け）があることが必要となる。宗教改革では、働くことが神の御心《みこころ》にかなうと利潤を得ることをプロテスタントは肯定した。

□成長（増殖）を前提としている

お金が増えていくことが前提となっているので、商品の裏に隠れている労働も増えていかないと資本も大きくなっていかないことを意味する。また資産運用で利潤を増やすように、資本が資本を生むといった特徴ももっている。

アリストテレスが主張する能力に応じた「分配」

遠山さんがニコマコス倫理学5巻の3章「分配」をテキストに、アリストテレスが主張する分配について語る。

□分配の章の位置づけ

5巻3章で分配が扱われているが、アリストテレス倫理学の主題の位置づけではない。そもそもアリストテレス倫理学で扱っているのは幸福な人生とは何か？に対して、善い性格・善い人として生きることという前提がおかれ、善い人というのは、正義を身につけた人であるとする。その正義の現れ方として、分配の問題があるというたてつけになっていて、分配する人の立場で分配の在り方が論じられている。

□善い分配とは（＝能力に応じた比例配分）

アリストテレスは中庸を主張しているが、分配でも中間が善いとしている。中間を保つとは過剰による分配と、不足による分配の中間を保つこと。全ての人に平等に分配せよといっているのではなく、例えば会社で多くもらう人と、そうでない人の差があったときに、誰からみても納得できるような分け方となっていること。その状態を求めていくのが、分配において正義が現れているとする。

具体的には、Aの人の能力が100で、Bの人の能力が80だったとき、Aの人に50、Bの人に40を渡すという比例配分が望ましい。（A：B＝C：D若しくは、A：C＝B：D）

「アリストテレス倫理学入門」の著者J・O・アームソンはこの問題について、ケーキを切り分ける身近なたとえで示した。食欲盛んな子に多く分配すべきか？お行儀のよい子に分配すべきか？アリストテレスが示したのは、なんらかの評価基準に応じて差をつけて分配するのは平等であり、正義にかなった分配であるということ。

ちなみに、紀元前のアテネは民主制ではあったものの、奴隷制度を前提としており、市民になれる条件は限られていたため、現在の日本が抱える貧困問題とは性質が異なる。その前提があるうえで、能力主義による分配が主張されているということは考慮しておいた方がよい。

「分配」に関するキリスト教のロジック

アリストテレスは能力による分配を主張したが、キリスト教はどうなのか、羽田野が語る。結論としてはキリスト教も能力主義を暗に認めているが、分配について明記しているわけではないので、主張ではなく、能力主義を肯定するロジックとして説明する。

□基本ロジック

好天や豊作は神からのご褒美、干魃《かんばつ》や疫病は罪を犯した罰ととらえる。人間の善に褒美をあたえ、罪を罰するのであれば、神は信賞必罰の義務を負うことになるのが基本ロジック。

□問題点（キリスト教徒の善行の多寡に応じて分配すべきか）

それではキリスト教徒が神に対して善行を施した場合に、より多くの善行を施した人のほうが多く救済を受けるといった分配は認められるのだろうか？仮に善行の多寡により分配に差をつけることを認めてしまうと、神が人間に仕えることを意味し、これは神学上の問題となる。

一方で、神からの祝福を努力では獲得できない贈り物とみなして神の全能性を肯定した場合どうなるか？この場合、悪の存在に対しても責任を負う構造となるが、実際悪はこの世の中に存在するので、神が正義にもとる存在であることになってしまうことが問題となる。

□分配に関する考え方（人間の自由意志を認める＝能力主義を認めるということ）

平等に分配する存在である、神の全能性、悪の存在を同時に満たすためには、人間の自由意志を認めること。このことによって、悪への責任は神から人間に移行することになる。つまり、分配を多く受ける・受けないは個人の責任であり、能力主義を暗に認めている。

この説明は中世ヨーロッパで起きた論議の要約となるが、宗教改革でプロテスタントが主張したのも、天国に行けるかどうかは死んでからでないとわからない。善行を積む必要があるが、労働して利潤を得ることは神の御心にかなうという理由づけをしたことも、能力主義を後押ししている。

マイケル・サンデルが主張する社会的貢献による「分配」

アメリカの哲学者マイケル・サンデルの著書「能力主義は正義か」をテキストに、サンデルの主張を羽田野が要約する。

□問題提起（**能力主義による分配は正義なのか？**）

高学歴の人に富が偏在する事実がある中、高学歴の人は自分の能力を自分の努力の賜と主張する傾向にあるが、それは思い上がり。学力は親の収入による部分も多く、本人の努力とは一概にはいえない。能力主義による分配は、経済的な困難を引き起こすだけでなく、労働の尊厳も傷つけている。

□提案（**どのように分配を見直すべきか**）

労働の尊厳を政治課題の中心におき、分配を見直すべきと主張。社会が労働に名誉と報いをどう与えるかは、共通善をどう定義するかという問題になる。名誉に値する労働とは何か？それを考えるには、社会の一員として自分自身を見ることが重要となる。社会に恩恵を受けていることを意識すると、社会に対して貢献している他者に感謝することになる。何をもって社会に貢献しているかというと、農業とか教育に携わるといった社会に必要不可欠な営みをもって貢献とし、逆に金融でもうけている営みは社会にとって本当に必要なのだろうかと疑問を呈している。

つまり、社会に対する貢献で分配するのが正しく、分配の在り方は民主で決定しようというのがサンデルの提案のポイントとなる。

中国社会制度の「分配」ロジック（功利主義）

楊さんが、中国の社会制度における「分配」がどう変わっていったかを語る。

□毛沢東の時代（1966~1976）

1960年代の毛沢東の時代に起きた中国文化大革命からお話しする。中国に「大鍋飯（同じ鍋で食事をする）」という言葉があるが、同じ鍋にある食事を配分するように平均主義で分配がなされていた。米についても、米のチケットが配分されて交換されていた時代。配分される米の量も政府が決めていたため、政府に権力は集中していた。給料も平均主義で分配されていたため、マネージャとスタッフの役職の違いがあっても同じ給料だった。完全な平均主義のため、努力しても給料が変わらず、働くモチベーションが上がらなかった。マルクスの社会主義を平均主義と等価と間違った解釈をしたため、文化大革命の10年間は中国にとって好ましくない時代だったと言える。

□鄧小平の時代（1978~2002）

毛沢東の平均主義を改め、「労働に応じた配分」の原則を定義した。効率を優先したうえで、平等・公平を考える原則を作った。その考え方の一つとして「家族単位の配分制」を導入した。当時は農業生産が多かった時に、国、グループ、個人の権利、責任と利益関係を明確にすることで、労働成果を上げられた。

「労働に応じた配分」で一定の成果をあげたあと、1992年以降はさらに効率を上げるために資本主義の考え方を取り入れる動きがでてきた。社会主義の本質は、生産力を発展させ、搾取を排除し、格差を回避し、最終的に一緒に豊かになることを達成することであるため、「効率を優先し、公平も考慮にいれる」原則をうちたて、経済を発展させた。今の中国でもこの考え方が受け継がれている。

注：本章における言葉の定義

この社会全体の利益を最大化する、公平性（1人を1人と数えて誰も1人以上に数えない）を重んじる考え方を功利主義という。サンデルも同様な主張をしているが、言葉の使い分けとして、サンデルの主張は社会貢献主義、中国社会制度のロジックは功利主義として、まとめていく。

分配のまとめ（ゲーム理論で整理）

		A	
		協調	裏切り
B	協調	懲役5年 **パレート最適**	Bのみ 懲役10年
B	裏切り	Aのみ 懲役10年	懲役10年 **ナッシュ均衡**

能力主義、社会的貢献主義、功利主義による分配を説明したが、それぞれの立場をゲーム理論の囚人のジレンマで整理する。

□囚人のジレンマとは

囚人のジレンマ（上図）は、AとBが協調して黙秘を貫いた場合、お互い懲役5年。Aが裏切り、Bが黙秘した場合はBのみ懲役10年でAは無罪放免。お互いに裏切ったら両方とも懲役10年という条件の中、囚人がどのような選択をとるかを問題にしている。

お互い黙秘を貫く（協調する）ほうが、全体最適（パレート最適）になるものの、自分が裏切り、相手が協調した場合は自分の利得が最大化されるため、お互いの利益を追求した場合、結局は両方裏切り、ナッシュ均衡となる。

□ゲーム理論による解釈

能力主義は右下のナッシュ均衡型になることを志向しており、自由であり、A・Bそれぞれの選択が尊重されるものの、結果的に格差が生じる構造となっているが故に、社会全体からみると、最適でない結果を招く。

サンデルの社会貢献主義と社会主義による分配は、共に社会への貢献を良しとしているのでお互い協調することを前提にしており、パレート最適を目指している。では社会貢献主義と社会主義による分配の差異は何かというと、協調のルールを誰が決めるかにある。

社会貢献主義は協調のルールを民主で決定することを主張しているが、お互いが協調のルールに則り歩み寄ることが前提となるため、裏切る人も出てきて、実効性に課題がある。

功利主義は、社会が配分を決定するので、パレート最適を実現しやすい方法である一方、自由が制限され、生産性が下がる可能性がある。また配分を決定する人物に権力が集中しやすい傾向がある。

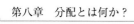

討議（どのような分配を実現する社会で生きたいか）

どの世界でも格差は存在するし、格差自体が問題ではない。ただし、格差がレッドラインを超えていき過ぎた場合、それを是正するルールが必要と感じている。そのルールを定めるのは特定の賢い人が決めるのではなく、民主で決めるのが望ましい。（楊）

例えばビルゲイツのような億万長者がいて、富が偏在していたとしても、それを是正として配分して頂きたいかと問われると、僕はそうは思わない。社会保障が必要なレッドラインを決めて、再配分する取り組みは重要だと思うが、富が集中したことを是正することに重要性を感じない。富を持つことと幸せとは別に語られた方がよいと感じている。（岩田）

貧困層が増えているのは確実で、貧困層にお金を回すためには、富裕層に集中した富をどう配分するか、真面目に議論しなければいけない問題だと思っている。資本主義は、資本を持つ人に富が集中し、労働者は富が奪われていく基本構造となっているため、上から落とす必要がある。それをどの単位でやるのか、地域単位なのか、国単位なのか、グローバルで実施するのかが、次に問題となってくる。本来社会的弱者を救うのが政治の役割なのに、今はある程度のお金を持った人しか政治家になれず、政治家もお友達にお金を配分しているので、今の状況を続けると日本は厳しい状況に陥るのではないかと危惧している。（山田）

どちらかというと格差肯定派で、ジェフベゾスなど億万長者がこれからやろうとして取り組んでいること、例えば不老不死の薬を作る会社を作るとか、そういった取り組みは突き進んで頂きたいと思っているし、自分がそれを享受することを期待している訳ではないが、新しい世界は見てみたいと思っている。社会的弱者をどうするかは問題になるが、具体の話として今の日本にとって重要な取り組みは、地方創生だと思っている。「ダウンシフト」といって、生活のペースを下げて、ゆとりある生活に切り替える、ゆとりある生活のためには支出が少なくてすむ地方に在住して米作りなどに取り組むといった動きが個人単位ではあるがでてきており、こういった動きに弱者救済のヒントはあるように思う。（遠山）

出身大学とか出身地とか、自分が応援したいところには寄付をするようにしている。理想論かもしれないが、贈与による分配で成り立つ社会が望ましいと思っている。本当は一通り討議したあとに、社会的弱者として自分が生まれてきたときにどういう分配を実現する社会で生きたいかを討議したかったが、別の機会に譲る。（羽田野）

龍源先生のコメント（分配について）

一通りの討議を聞いて仏教者として感じたのは、全世界的になぜマルクス的な考え方に支配されているのかということ。マルクスの専門家ではないので間違いがあるかもしれないが、唯物論であり、進歩史観であり、弁証法であることを我々は無自覚に前提として受け入れているように思う。金銭や土地などだけが資本なのだろうか？「心の喜び」など定量的に示せないものが無視されているのはどうなのだろう。

仏教は基本的にミニマリストで、資本をたくさんもっていればよいという価値観はなく、むしろたくさん持っているものはたくさん苦痛を得るという考え方をする。特に貯め込むという行為に対して釈尊は批判的だった。「足るを知る」という言葉は有名だが、どちらまでが自分の幸福を維持する閾値《いきち》なのか、その閾値が低ければ低いほど、その人の幸福度は高いと考える。この考え方はこれからの環境問題を扱うときにも重要ではないかと思っている。

ただし、気をつけなければいけないのが、仏教が生まれた土壌について考えると、古い経典から類推するしかないが、意外と社会全体が豊かであり、砂漠や極寒の地で飢えて死ぬ状況ではなかったことは割り引いて考える必要がある。

加えて考慮すべきポイントは、仏教が見ている視点が広いということ。目の前に直面している状況に限定せず物を考えよというのがお釈迦様の教えであり、局所最適の全体崩壊を嫌う。局所的には自分の利益を最大化するのが正しいが、めぐりめぐって自分の不利益となることもあり得るという考え方をしなさいと説いている。

ゲーム理論での説明があったが、仏教では輪廻転生や因果応報といった概念でパレート最適に導こうとしている。因果関係は時空間を超えて連鎖していくので、その中での最適解をそれぞれが考えていくというところが仏教の目指すところであり、それが悟りである。悟りを開いていない人間が行動するとエラーを含む結果となるので、仏教ではそれぞれが賢くなりなさいと説く。

社会システムがどうなっているかはその時点での状況によってしまう。システムは大事なのだけれども、その社会に生きていて、オペレートしている一人一人の賢さが人間社会を決めると考える。賢さというのは難しい局面を打破する力というのではなく、時空間全体をみてバランスをとれるのが真の賢さだと考えるので、そういう賢さを皆が身につけようとするとパラダイムシフトが起きるのではないかと思っている。

誰かが決めた分配というのは、その時代には適していても、状況が変わると即さなくなっていく危険を孕むし、必ずそうなっていく。それを避けるためにはプレイヤー全員がパレート最適をとれるように全体性の中で生きていくことが重要となる。

第九章　生きるとは何か？

問いの設定

生きていく中で絶望を感じるのはどのような時か？
絶望を感じたときに、どのように乗り越えるか？

宮沢賢治をテキストに「生きる」とは何かを考察する

「生きる」ことは様々な問いがあり、それこそ一人一様《いちにんいちよう》の問いが存在するが、討議が発散しないよう、宮沢賢治の「よだかの星」をテキストに、よだかの生き方を法華経とハイデガーの哲学で読み解き、設定した問いについて討議した。

□宮沢賢治について

宮沢賢治（1896〜1933）は、岩手出身の童話作家。中学卒業時に法華経を読んで感動し、終生熱烈な法華経信者となった。24歳の時に日蓮宗の信仰団体に入会し、宗教と芸術の合一の示唆を受け、創作活動に力をいれるようになる。農学校で先生を経験した後、農耕生活に入り、農業・芸術・科学・宗教の一体化を希求しながら文化活動を進めていくが、結核を発病し、「銀河鉄道の夜」

などの膨大な未発表作品を残して37歳の若さで死去。

□よだかの星のあらすじ

よだかは容姿が醜く不格好なゆえに鳥の仲間から嫌われ、鷹からも「たか」の名前を使わず「市蔵」に改名せよと命令する。大変つらい気持ちになり、夜の空へ飛び立つ。空を飛びながら口に入った虫を飲み込んでいるうちに、虫を殺めることの罪悪感に目覚める。「もう虫を食べずに餓死してしまおう。その前に遠くの空の向こうに行ってしまおう」と決意したよだかは、弟のカワセミの巣に行って別れを告げる。

太陽へ向かって飛びながら、焼け死んでもいいからあなたの所へ行かせて下さいと願う。太陽に、お前は夜の鳥だから星に頼んでごらんと言われて、星々にその願いを叶えてもらおうとするが、星からも相手にされない。よだかは力をなくし、羽を閉じて落ちていった。**もう少しで地面に着くというとき、よだかは突然空へと飛び上がった。**

よだかは毛を逆立て、高く高く叫んだ。どこまでもまっすぐに、空の上へと昇り続け、よだかはついに息絶えた。しばらく経ってよだかは目を覚ます。自分の体が青く美しい光となり、静かに燃えているのを見た。よだかの星は今でも燃え続けている。

問いの設定：

よだかにとって生きるとは何だったのだろうか？

なぜ絶望の淵で、突然空へと飛び上がったのだろうか？

法華経で読み解く

羽田野が「法華経・現代語訳（植木雅敏訳）」の内容を要約し、法華経の観点でよだかの星の問いについて考察する。

□日蓮宗について

日蓮は鎌倉時代の仏教の僧。天台宗の僧侶だった日蓮は、経典を学ぶうち、法華経が最も優れた経典として、広めたのが日蓮宗。日蓮は、他の宗派は邪教であり、法華経を国教としないと他国から攻められると鎌倉幕府に直訴して流罪にあう。

□法華経について

法華経は上座部仏教（小乗仏教）・大乗仏教ともに差別思想があることを問題視。誰でも平等にブッダになれることを説いた。

上座部仏教は、仏の教えに従い正しく生きることで自分を克服する人を声聞《しょうもん》、独力で十二因縁（無明・生・老・死など人生の苦の原因とそれを滅する方法を説いたもの）を悟る人を独覚《どっかく》と定義し、悟った後の在り方は阿羅漢《あらはん》を目指しており、ブッダにはなれないとしていた。

大乗仏教は六波羅蜜（布施・持戒など六つの修行）を実践して他者を救済する人を菩薩とし、悟った後の在り方はブッダ（目覚めたもの）を目指していたが、声聞・独覚はブッダにはなれないとした。

法華経は声聞・独覚・菩薩もブッダに到達するための方便であり、みんながブッダになれるとした。

□方便で語られる平等観・ブッダにいたる道

方便とは喩えだが、喩えにはいくつか種類がある。「彼女はブッダのように慈悲深い」と喩《たと》えるのは直喩、「彼女は僕のブッダだ」と喩えるのは暗喩、彼女のことを「ブッダちゃん」と喩えるのは換喩。法華経は「天は万物に恵みの雨を降らせる」といって喩えだけを示し、たとえられているものが何かを推測させる手法を用いている。

法華経は前半14章、後半14章で構成され、前半は声聞・独覚・菩薩ともにブッダになれること、後半はブッダは永遠の仏としてこの世に現れ、苦しむ人を導くことが書かれている。

有名な「雨にもまけず」にでてくるデクノボーのモデルは、後半20章にでてくる常不軽菩薩《じょうふきょうぼさつ》だといわれている。

□よだかの星を法華経で読み解く

よだかにとって生きるとは、醜い姿で生まれたことの苦しみ、平等に生きられない苦しみ（羽虫が自分に殺され、ただ一つの自分も鷹に殺されることがつらい）、他のなにものにもなれない苦しみ（太陽にも星になることを願ったが相手にされなかった）であったといえる。

過去との比較、他者との比較により生じる苦しみは、真の自己に目覚めていないことに起因している。全てを失ってもよいと思えたときに、十二因縁の根源である無明から脱却し、悟ることができた。仏の教えに従う声聞でもなく、他者を救済した菩薩でもなく、よだかは独力で十二因縁を悟った独覚に到達することで、ブッダになれたと解釈する。

□法華経の注意点

法華経の観点でよだかの星を読み解いたが、私は法華経を信じているわけではないし、信じてほしいとも思っていない。法華経に書かれていることは大変興味深い内容だが、法華経を読む上での注意点を参考までに記載する。あくまで参考なので、不快に思われる方は読み飛ばしてほしい。

法華経は上座部仏教・大乗仏教ともに差別思想があることを問題視し、日蓮も他の宗教は邪教と言い、ある意味排他的な言動がみられた。法華経は、般若心経などの論理的なお経とは違って、方便で書かれているため物語性があり、神話として解釈される要素をもっている。法華経を信じてしまうと論理の逆転が起こってしまいやすい傾向になり、熱狂的な法華経信者は、「法華経を信じていたら世界は平和になる。今世界が平和でないのは、法華経を信じていない人がいるからだ」という論理になってしまう。過去の歴史でも、同様の論理で排他的な行動を起こす人が存在したことは事実として書き記しておく。

方便を解釈として考察することはよいが、方便を信じてしまうことは注意した方がよいと存じます。繰り返す、このページはあくまで参考として読んで頂ければ幸いである。

ハイデガーで読み解く

マルティン・ハイデガー（1889～1976）はドイツの実存主義哲学者。ハイデガーの主著「存在と時間」をテキストに岩田さんが、ハイデガーの実存主義哲学の観点からよだかの星を読み解く。

□ハイデガーが主張する死について

「第2編　現存在と時間性」で書かれている死についての記述を中心にお話しする。まず死は「現存在（私）が死に到達するということは、すなわち、現の存在を喪失することである」とあり、死とは存在論的に私が到達することのできない経験として定義されている。哲学としては考えるできない対象となるが、他者の死から分析できるのではないかと、論を進めていく。

□他者の死から理解すること

他者の死から理解できることとして3つ要点を説明する。

1つ目は、世界内存在。私自身がこの世界に内在して存在することを強く自覚するということ。死んだ他者がこの世にいないことは、私の中の存在現象の経験である。この世界の内にいればこそ、残された我々は故人とともに存在できると主張した。つまり、他者の死を通じて、むしろ私が世界に存在すること（生きていること）が強化されてくるといえる。

2つ目は代理不可能性。他者の死は、その人から引き取ることはできないし、死ぬことは各々の現存在（私）がいずれは各自で引き受けなくてはならないこととした。

3つ目は、死の未然と死の終末。現存在（私）は、いつもはじめから、（死の）未然を備えているありさまで実存している。死とは、現存在が存在するやいなや、人間は既に引き受ける在り方であるとしている。現存在（私）とは、「終末に臨む存在」として構造的に解釈されており、それは私は死の終末として死の未然の存在者であり、そして死へ臨む存在者として世界に生きていることを意味する。

□ハイデガーにとっての実存

何もわからない状態で世界に投げ込まれている（被投性）我々は、自己の可能性へ向かって存在している。死の可能性も含めて己自身を了解し、自分自身を未来に投げかけていくこと、これがすなわち実存するということとなる。

□よだかの星をハイデガー哲学で読み解く

醜い鳥として生まれたよだかは、よだかであることを選択したわけではなく意味もなく世界に存在していた。これは、被投性として世界に存在しているということ。食べた虫の死は世界と隣接する死の存在への気づきだったととらえる。絶望して地面に落ち、もう少しで地面に着く瞬間、迫り来る自分の死を了解することで己の実存を際立たせることができた。そして、自らを世界に投企することで、どこまでもどこまでも空高く上っていったと解釈する。

討議（絶望の淵に直面した状況とそのときどう乗り越えたか）

※メンバーの個人的な話含めて深く討議したが、ポイントのみ要約する※

日本に来て、仕事をしながらＭＢＡを取得しようとしていたときに、お金の工面と、周囲が優秀だったことに、どうしていいかわからない状況に陥った。相当落ち込んだが、そのとき声をかけてくれた家族と友人に大丈夫だよと励まされたことで、乗り切れた。（楊）

自分の話ではないが、自分が影響を受けたヴィクトール・フランクルはユダヤ人で強制収容所に入り、周囲のユダヤ人が虐殺されるという、それこそ絶望の淵であったと思うが、それでも人生にイェスといった。その逆境を肯定する生き方は、自分の仕事の向き合い方にも生かされていると思う。私は現場の人を相手にシステム保守・運用の仕事をしている。トップにプレゼンするコンサルとは対照的だが、現場が変わらないと会社が変わらないと思ってやっている。（岩田）

絶望の淵を感じたのは最初に入った大学の時で、なんとなく大学にはいくものだろうということで外語大に入学し、友達の誘いで目的もなくラグビー部に入部したら、英語ができるかできないかの物差しで測られること、運動も得意でないのにラグビーしている自分は何をしているかわからない状況に陥った。結局、大学2年の時に退学し、しばらくは当てもなく山に登り、思いつきでオーストラリアに行って過ごしているうちに、ふと大学に戻って勉強し直そうと思い立ち、哲学を学ぶために再受験し、何とか落ち着いた経験がある。（山田）

重たい話となるが、若いときに母親が事故で突然亡くなり、その翌年父親が同じような事故で亡くなったとき、自分の人生に意味を感じなくなり、人生の中で唯一自殺を考えたことがあった。大学で哲学を学んでいたことの影響も大きかったと思うが、一つの大きな意味を失ったが、両親への恩返しだとか、社会に対する貢献だとか、命を捨てないという選択肢もありうるということを思索し、ギリギリのところで踏みとどまった経験がある。（遠山）

若いときに3回転職しているが、転職のきっかけは自分の上司を見て、頑張っても自分はこれくらいにしかなれない、それは自分の望む姿でないと容易に想像できたときに、転職して場を変えていた。このような転職を続けても自分の人生として善くないだろうと思い、4つ目の会社では多少精神的にも体力的にもつらいことがあっても根性で乗り切った部分があり、そのときの状況により、絶望のとらえかたや乗り越え方は変わってきたように思う。（羽田野）

討議（よだかの生き方をどう思ったか）

恵まれない立場で生まれてきたこと、いじめられたことといった経験は少ないのでよだかの立場にたったコメントはできないが、個人的にはよだかの物語は残念に思うところがあった。よだかは星になって救われたのかもしれないが、他力本願的な力で救われた感があるので、それよりもコンプレックスをバネに、歯を食いしばって頑張る方が自分の好みにはあっている。（遠山）

よだかの物語は好きだが、最後の救われ方が努力ではない、別の在り方を賞賛しているのが多少違和感あった。つらいことがあっても我慢せずに違うなにかになっていこうという純粋さを描き、宮沢賢治もそういう生き方に自分を重ねているのかもしれないが、トルストイの「イワンの馬鹿」のイワンのように、不遇な境遇であればそれを貫く物語のほうを私は好む。（山田）

よだかが死のうとして太陽や星に向かっていく箇所は、死ぬために頑張っていることであり、なぜそのようなことができるのか気になり、印象に残っている。また、当時の社会は今と違っていて、この身分で生まれたのであればこうあるべきという社会通念が強いように思っていて、その中でどうにもならない現実に直面したとき、死のうとするよだかの気持ちはなんとなくわかるかなと感じた。（岩田）

今回、法華経を学んでみたあとに、よだかの星を読み、よだかの星も方便としてとらえると、自分の人生に重ね合わせて読め、新たな視点を得られたと思っている。最後星になれたのは結果論であって、高く飛び上がるときに自分の声で雄叫びを上げるシーンは、自分の存在に目覚めた力強さを感じ、よだかの生き方に共感する部分は多かった。（羽田野）

龍源先生のコメント（絶望の淵に直面したときの生き方について）

よだかは、虫を食べることに罪悪観を覚える純粋さがあり、周りからいわれのない迫害をうけても自分を貫き、結果星になれた。ブッダになれてよかったという物語は、常不軽菩薩《じょうふきょうぼさつ》の物語に重なるが、禅宗や密教であれば、悟った後は他の人を導く存在になりなさいと説く。如来如去《にょらいにょこ》といって、真理の世界に行くのと帰ってくるのとは同じことを意味し、外見的には変わらないが、自分の中が転換していくことを理想としている。

皆さんの絶望の淵の話で様々な意見があったが、自分の場合は真面目に生きているだけなのに信頼していた人から裏切られ、自分の心の拠り所が全て崩壊していき、本気で死にたいと思ったこともあったが、そのときに仏教に出会い、僧侶になった。

その時に言われたのは、あなたは人に裏切られて苦しい思いをしているかもしれないが、その原因は自分の中にあることを教えてくださる人がいらっしゃって、大きな気づきになったことがあった。

密教系の人に教えてもらったので、自分がひどい目にあっているのは自分は悪くないと思っている自分が馬鹿なだけで、ひどい目にあうのはその原因をつくった自分があり、自分が人を傷つけたから自分が傷ついていると教えられ、それが真理だと思ったことがきっかけとなっている。法華経の方に出会っていたら、異なる指導を受けていたように思う。

おそらく宮沢賢治は法華経の世界観に魂の底から共鳴したため、作品にもその世界観が表れているのだと感じた。

そういった世界観を持つ宮沢賢治の作品を読んで、それぞれがどう思うか？というのは面白い命題だった。

第十章　権力とは何か？

問いの設定

権力とはどのような力なのだろうか？
人と人とがどのように「まとまる」のが理想だろうか？
理想的な「まとまり」の中で、権力はどのように行使されるべきだろうか？

なだいなだが主張する権力

なだいなだ（1929～2013・本名：堀内秀《ほりうちしげる》）の著書『権威と権力』のポイントを羽田野が説明する。なだいなだは精神科医・作家・評論家で、哲学者ではないが、権威と権力についてとてもわかりやすくまとまった本のため、テキストとして用いた。

クラスにまとまりがないと嘆く高校生A君と、精神科の先生と私との対話から、人がまとまるための原理である権威と権力を明らかにしていく内容となっている。

□問題提起（人がまとまるためには、英雄が必要なのだろうか）

A君はクラスにまとまりがないと嘆く。昔は先生が「こうしなさい」と言っていたけれど、今は

「みんなで決めなさい」としか言わない。今の日本のまとまりのなさも本質的には同じで、まとまるためには強いリーダー(英雄)が必要と主張した。

一方、私(なだいなだ)は、リーダーが独裁者になるか為政者になるかは、リーダーの選択であり、私たちは選択できない。民衆が英雄を待望するのは賭けとなり、自分はその賭けにのりたくないと主張し、まとまることの本質を見極めようと問題提起する。

□まとまりがなくなった理由

昔と今で失ったものは権威であり、先生だけでなく医者・政治家の権威が失墜した。権威は個人と組織・地位に紐付くが、権威の失墜は地位にふさわしくない人が職についたということなのだろうか? 個人レベルで差異はあるものの、昔と今で先生・医者・政治家の地位・役割はそれほど変わっていない。それなのに権威が失墜したと感じるのはなぜか。それは権威ある地位になれる人が増えて希少性が薄れたことや、情報があふれて自分が権威ある人への依存が薄れたということ。つまり、権威の失墜を決めているのは、権威を求めている人の心にある。このことを「いうことをきく原理」と定義した。

□まとまりを取り戻す方法

リーダーの権威が失墜しまとまりがなくなった場合、まとまりを取り戻すために権力が必要となってくる。権威は従ってもよいし、従わなくてもよいが、権力の場合、法律・規則をつくり、破った場合に罰を与えるなど強制力が働く。権威を失った後は権力支配に傾きやすい。

権力の有効化は、権威を後ろ盾にして権力を行使するとか、権威を遠ざける(明治政府は天皇の権威を後ろ盾に樹立したが、政府の権力を有効化するため、天皇への謁見を制限)などの手立てが用いられる。

まとまりを取り戻すために、権威を後ろ盾にした権力が立ち現れていくることを「いうことをきかせる原理」と定義した。

□従う側(いうことをきく側)の心理

いうことをきくのは子供の親に対する態度に結びついている。生まれたときは親に絶対的に依存しているが、自分と他者が違うことを意識しだす自我が芽生えたときに「いうことをきかなく」なる。

そもそも、子供がよく質問するのは知的好奇心からではない。質問の答えが正しい・正しくないよりも、納得できる・できないが重要。わかったということは知的に理解できる、わからないというのは感情的に理解できないということ。それは知的欲望が感情に乗っかっているということであり、知らないでは不安という感情からくる。

自分で知ろうとするといういうことをきかなくなる。自分で危険に触れようとするので、いうことを聞かせるために罰が必要となってくる。

つまり、権威には内部的な不安、権力には外部からの恐怖によりいうことをきくことになる。

□いうことをきかせることの限界

内部的な不安と、外部からの恐怖により、いうことをきくのであれば、いうことをきかせる側はいうことをきく側の心理を考慮にいれていうことをきかせる方法を二つの方法を考える。

一つは理による説得で、権力を行使して命令すること。この場合、命令が納得できるのであれば従う。ただし、世の中理屈が通らないことが多く、理による説得には限界がある。

もう一つは暗示による説得で、広告などで人の行動に影響を与えること。権威も暗示の部類に含まれる。人により暗示のかかりやすい領域に差異があるため、暗示による説得についても、限界がある。

□理想的なまとまりのある社会とは何か？

まとまりがなくなったのは権威の失墜であり、まとまりを無理に保とうとすると権力的な支配に傾く。内部的な不安と外部からの恐怖によりいうことをきく人に対し、様々な説得方法で人をまとめようとするが、どの説得方法も限界がある。まとまりある社会というのは非現実的なのだろうか？

著者は理想的な社会は、個々がバラバラのまま生きられる状態が望ましいとした。どういうことがというと、例えば同じ目的を持った人たちが学校に集まる場合、まとまる必要はなく、調和は保たれる。人はとかく全体を考え、個を部分ととらえるが、全体は観念的なもので、具体は部分の方。組織は同じ目的をもったものがあつまった集合体に過ぎず、そこに意思はないと自覚すること。そのことを自覚することが理想に近づく第一歩と主張した。

マックス・ウェーバーが主張する権力

楊さんがドイツの政治学者・哲学者であるマックス・ウェーバー（1864～1920）の「権力と支配」をテキストに、支配の分類とそれぞれの特徴について語る。

□権力の定義と支配の分類

権力は「人を従わせ、支配するための力」と定義した。その力を正当化するために、どのような命令で納得させるのか、支配の在り方を3つに分類した。

一つ目は、人の資質による命令で支配することで、これをカリスマ的支配と定義する。神聖さとか超人的な力とか、あるいは模範的資質で非日常的な帰依にもとづく支配で、毛沢東が例にあげられる。

二つ目は、観念(風習)による命令で支配することで、これを伝統的支配と定義する。古くより行われてきた伝統の神聖さや、それによって権威を与えられた者の正当性に対する日常的信念に基づく支配。例えば、ある村の長は、その息子が代々村長を務めて村をまとめてきたような風習がある場合、人に従っているというより風習に従っているので伝統的支配となる。

三つ目は、法律による命令で支配することで、これを合法的支配と定義する。成文化された秩序の合法性、及びこの秩序によって支配を及ぼす権限を与えられたものの命令権の合法性に対する信念に基づく支配。法治国家である今の社会は、合法的支配に分類される。

□3つの支配の特徴

3つの支配体制を安定性・公平性・効率性の観点で比較する。

カリスマ的支配は資質を持った人に依存するため安定性に欠ける。カリスマ経営において初代で会社を大きくしても、2代目で失敗するのはよくある話。安定性に問題はあるが、カリスマで物事を決定するので公平性はカリスマの資質に依存するが、効率性は高いといえる。

伝統的支配は、カリスマ的支配に比べて安定性は優れているが、支配の正当性が習慣に依存しており、公平性に欠けるといえる。

人々が納得して従う基準を法に定める合法的支配の場合は、人間や習慣に左右されないため、安定性・公平性ともに優れていると考える。しかし、民主主義で物事を決定する場合は、時間がかかるため、効率性は他の2つに比べて落ちることがある。

□合法的支配を維持するための仕組みと限界

合法的支配を維持するために、マックス・ウェーバーは官僚制を提唱した。

官僚制とは、組織階層・部門計画・ポジション設定・人員資格が定められており、専門性をもった管理者が管理していくことであり、理性的かつ効率的であるとした。

もう少し分解すると、官僚制は次の特徴を持つ。

合理的な役割分担（責任権限を制度により固定する）
階層的な権力体系（集権と階層制度を定める）
規則による運営の体型（個人の感情により判断・行動することを回避する）
正規の決裁文書（書類により明確的に命令する）
組織管理の非人格化（法律、規制、ルールにより組織の行動を支配する）
合理的かつ合法的な人事制度（採用、育成、選抜も規則に従う）

この考え方は、今の組織にも継承されており、マックス・ウェーバーが組織論の父と呼ばれている理由となる。

官僚制を理想に掲げているが、縦割り行政で柔軟性を欠き、官僚主義に陥ることもあるため、官僚主義にも限界はある。

討議(人がどうまとまるのが理想で、どう権力は行使されるべきか)

支配される人間からみると、権力者の命令に納得できることが重要だと思っている。支配者は皆が自由に発言できる環境をつくり、支配者としてではなく責任者として、みなが幸福になれるように尽力するのが望ましい。権力はただのツールであり、そのツールは皆を納得させるもの。リーダーは問題が起きたとき、皆を幸福にするために対応し、支える存在であるべきだ。(楊)

なだいなだの考え方に近い。そもそも権力が行使されない状況が望ましいと考える。集団がまとまって同じ方向を目指すことはよいことだが、全ての人にとってよい方向に向かうとは限らない。方向性が合わないと感じる人がNOと言える環境を作りだすことが重要だと考える。今の日本の学校で例えると、運動会や修学旅行といった行事に対してNOといいづらい部分はあると思っている。

ＮＯを抱える子は集団になじめず不登校になる現実があり、ＮＯと思っている人も包摂できる社会が理想と考える。（山田）

形而下世界では、楊さん・山田さんの発言の通り、みんなが同じ方向にむかい、ＮＯともいえる社会があり、そこで権力を行使する人が存在するのが現実だと思う。ただ、レヴィナスの哲学に影響をうけている立場で発言すると、形而上世界では、レヴィナスは他者を到達できないもの、ある意味崇拝する対象としているので、まとまる対象ととらえていない。つまり、現実世界はなんらかルールを作ってまとめざるを得ないのかもしれないが、どうしてもまとまらないなにかがあると考える。（岩田）

今回、権力について各国の状況を調査したが、日本は国民主権であり、言論の自由も保証されているので、幸せな国に生きていると改めて感じた。社会やリーダーに不満を言う人もいるが、社会を構成する我々の問題であるということを個々が認識すると少しずつ社会はよくなっていくように思っている。みなが賢くなるまではルールを破ったものは罰する合法的支配はある程度必要なのではないかと考える。（羽田野）

民主国家である今の日本はよい状況であると思う。細かい問題がおこり、不満を抱いている人はいると思うが、今の日本にとって必要なのは、国民主権であることを引き受けて、国民一人一人が教養を高め続けていくことが重要だと思っている。最近の政治家の発言で笑えなかったのは、「夫婦別姓は日本の伝統を壊すので認められない」という発言。日本の国民が一般市民まで姓を名乗るようになったのは明治以降であり、たかだか250年のことを伝統と恥じらわずにいうこと、それを認めてしまう我々にも問題がある。そういったことを自分の問題と認めることが、国民主権だと思うので、「知ることが重要だということ」を知らなければならない。人は学んでいくべきものだと自覚できたら民主主義は機能していくと考える。（遠山）

龍源先生のコメント（まとまることについて）

仏教でもいろいろな立場があるが、まず原始仏教から説明する。お釈迦様は「群れるな」とおっしゃった。森の中で気高く生きる犀（さい）の角のようになれと説く。愚か者とまじわらず、独りで生きよというのが大前提。

その前提があったうえで、目的と志を同じくして、この人といたいという相手であれば共にいてよいとしている。

なぜ、そのようなことを言っているかというと、一人一人が賢くありなさいということ。賢さというのは、お金もうけがうまいとか、人を言い負かすことに長けているということではなく悟りなさいということ。その悟りはいろいろな解釈があるが、一言でいうと因果関係の正確な把握が悟りの正体と私は考えている。それは理性的な判断が確実にできる人になることを意味する。

なにか一人では実現できない物事をなしたく、同じ志をもった人が自動的に集まって何かをなすのはよいことではあるが、学びたくもない学校に集まり、やる気のない人たちと混じって、先生が強制的に教えるというのは仏教的にいってナンセンスなこと。

独りでいくこと、究極には死をも怖れるなといっていて、自分が望まない組織の中で生きていくことを拒否しなさいというのが仏教の考え方で、これを貫くとアナーキズムにいくことになってしまう。実際、お釈迦様のころのインドはいくつかの王国に分かれていて、出家者は国境をも軽々と越えていた。私たちは社会から離脱した存在であり、殺すなら殺せという気概をもったアナーキストであったともいえる。

いかなる権威も認めず、いかなる権威にも従うなと説き、従うべきは己の研ぎ澄まされた理性だと説く。釈尊が自分の弟子に対して、「あなたたちが私に従う理由が、私がブッダたからだということであれば、従うべきでない。私の教えを、自分ごととしてとらえ、全てのことに関して反論する理由がなく、納得できる場合にのみ従え」と言っている。

形而下において従うべき権威はなく、悟られるべき真理こそ権威であり、形而上に存在するもの。その真理が自分に立ち現れてきたら従うのが仏教。その意味では、権威・権力が発動しないシステムとなっている。仏教に帰依し志を同じくした出家者が集まるサンガでも権威者はおらず、上下関係はない。サンガの集まりで上座・下座はあるが、得度をうけた順に座るルールがあるだけで、階層はない。

世俗権力に対しては、洋の東西を問わず王権神授説といって、神から与えられた王様の権力という考え方がある中、仏教の場合、ブッダを形而上におき、それを権威として仏教の守護者としての長を仏教としては認めていこうという形をとった。ミャンマー、スリランカ、タイはこの考え方。日本でも、天皇制と仏教の守護者という考え方が混じっていた。なので天皇が引退すると上皇となり、仁和寺・大覚寺にお住まいになり、僧侶としての天皇ということがありえた。この仕組みが優れているのは、「私(釈尊)を権威者とせず真理に従いなさい。因果関係を徹底的にみて全ての人が幸せであるように一人一人が動きなさい」といっている仏教の守護者としての世俗の権力者を認めていくので暴走しにくい。もし、世俗権力が暴力をふるうとか過酷な税を課して人民を苛めるようなことが起きたした場合、権威は真理そのものであり、それを担保しているサンガが「あの王様は仏法に外れたことをしている」と判定し、その王様がその座から外されるという話になる。

このサンガが真理を担保して王様を牽制する仕組みは、中世ヨーロッパでローマ法王が諸国の王様に対して権力を行使した構図に似てはいるが、決定的な違いは一神教として人格神に真理を置いていたため、それに反する人は異端者としてやっつける、つまり暴力が働きやすいが、サンガはお釈迦様を神とせず、権威を真理側においたので絶対的な権力を振るうことをよしとせず、暴力が働きにくい構造だったといえる。

これまで、仏教からみた権威・権力についてお話したが、この仕組みは「暴力」に弱い。仏教教団はイスラムの前に圧倒されたという過去がある。仏教を保持している国、例えばお釈迦様がいらっしゃったカピラバストゥという国も、専制君主が率いる軍隊に対しては無力であったという事実がある。このあたりは、ホモサピエンス対ホモサピエンスの種としての限界というものがあるのではないかと感じていて、このあたりをどう我々がアップデートできるのか、できないのか、仏教はアップデートされるべきなのか、今を生きる我々が考えなければならないことではないかということを思っている。

主要参考文献一覧

十牛図

上田閑照　柳田聖山「十牛図　自己の現象学」ちくま学芸文庫

自己とは何か

デカルト　谷川多佳子訳「方法序説」岩波文庫

ヒューム　大槻春彦訳「人生論」岩波文庫

カント　中本元訳「純粋理性批判」光文社古典新訳文書

善とは何か

アリストテレス　高田三郎訳「ニコマコス倫理学」岩波文庫

他者とは何か

レヴィナス　藤岡俊博訳「全体性と無限」講談社学術文庫

レヴィナス　合田正人訳「レヴィナス・コレクション」ちくま学芸文庫

レヴィナス　合田正人訳「存在の彼方へ」講談社学術文庫

強さとは何か

ニーチェ　氷上英廣訳「ツァラトゥストラはこう言った」岩波文庫
横山紘一　「阿頼耶識の発見」幻冬舎新書

直観とは何か

ベルクソン　坂田徳男訳「哲学的直観」中公クラシックス
デカルト　野田又夫訳「省察・情念論」中公クラシックス
サルトル　白井浩司訳「嘔吐」人文書院
鈴木大拙　「日本的霊性」岩波文庫

美とは何か

岸田劉生　「美の本体」講談社学術文庫
柳宗悦　「民藝とは何か」講談社学術文庫
岡倉天心　「茶の本」角川ソフィア文庫

坂口安吾　「堕落論・日本文化私観」岩波文庫

分配とは何か

アリストテレス　高田三郎訳「ニコマコス倫理学」岩波文庫

マイケル・サンデル　鬼澤忍訳「実力も運のうち　能力主義は正義か？」

生きるとは何か

宮沢賢治　「よだかの星」青空文庫

植木雅俊　「サンスクリット版縮訳　法華経　現代語訳」

ハイデガー　「存在と時間」ちくま学芸文庫

権力とは何か

なだいなだ　「権威と権力ーいうことをきかせる原理・きく原理」岩波新書

マックス・ウェーバー　「権力と支配」講談社学術文庫

プロフィール

編著者・「哲学を語る会」主催者：羽田野大樹《はたのひろき》
TIS株式会社　ビジネスイノベーションユニット・ディレクター
Vector Management Consulting Pvt. Ltd. 社外取締役
1972年生 九州大学理学部物理学科卒
外資系通信企業のSE、外資系コンサルティング会社を経て現職。専門は基盤技術・デジタル技術とサプライチェーン全般。技術に基づいたコンサルティングは定評があり、大手企業の国内・海外のプロジェクトを数多く成功に導く。
歴史・哲学・音楽をこよなく愛する。哲学に関しては、自身の人脈をつかって哲学に造詣の深いメンバーをあつめ、「哲学を語る会」を主催。コンサルティングで培った「本質をつかみ、わかりやすく伝える力」をフル活用し、「哲学を語る会」で討議した内容を編纂。

監修・「哲学を語る会」指南役：松波龍源《まつなみりゅうげん》
実験寺院 寳幢寺 僧院長
1978年生 大阪外国語大学地域文化学科ビルマ語専攻卒

大阪外国語大学大学院地域言語社会研究科博士前期課程修了

父方は能登七尾市の出身、母方は九州天草の出身。学生時代に武道と仏教に出会い、生涯の道とすることを決意。

武術の境涯を深めようと単身中国北京に渡り、五年間の武術修行を行う。

帰国後縁を得て仏門に入り、真言律宗総本山西大寺にて四度加行、伝法灌頂を受法。

様々な伝統的伝授を受けると同時に日本仏教のみに囚われず、ミャンマーやチベットなどの高僧に師事。

さらに山岳修行、霊地巡礼などの修行を積み、釈尊が、あるいは弘法大師が志していた本来のあり方を追い求め、固定習俗化した仏教ではなく、社会に「即する仏教」を探求。

今の日本に無理のない瞑想法を追求する中で、独自の理論に基づき「リアウェアネス」を提唱する。

多くの学生や若者に慕われ、「日本一若者が仏教を学びに来る寺」実験寺院 寶幢寺を開設し、社会に向き合う僧侶の姿を探り続けている。

2021 JAPAN PODCAST AWARDSベストナレッジ賞受賞のNewsPicksのポッドキャスト番組「ascope」とその書籍化である『視点という教養』にて仏教の回を担当。

多くの起業家や経営者のメンターとして活躍中。

「哲学を語る会」参加メンバー（あいうえお順・敬称略）：

岩田光史：アクセンチュア株式会社　テキノロジー・コンサルタント：

立命館大学文学部哲学科教育人間学専攻卒業

同大学院文学研究科教育人間学専修修士課程修了

大学では現代フランス思想家のE・レヴィナスの哲学・倫理学に惹かれ、研究をする。

今はITコンサルタントして働き、食べ、着て、住まい、寝ながら、その形而下世界で起こる事象に捕らわれ悩みながら、形而上世界を渇望する生活をおくる。

源耀：京都大学総合人間学部在籍中。第5回のみ参加。

令和3年7月〜令和4年3月まで龍源師の下で出家修行を体験。現在還俗して大学生に復帰。

米谷拓哉：「鴨川デジタル相談所」として活動しているフリーランスエンジニア。

京都大学理学部中退。旅人でもあり、世界12か国を自転車でめぐった。第6回のみ参加。

坂元慎太郎：作曲家。第1回のみ参加。

早稲田大学第二文学部表現芸術卒業。在学中は同大学の交響楽団に所属し、海外でも演奏活動を行う。ＩＴ会社を経て現職。「Ａｔｅｌｉｅｒ Ｘ」の屋号でピアノを中心とした楽曲を配信。

土山ひかる：哲学専攻の大学生。第5回のみ参加。

遠山哲也：株式会社ファーストステージ代表
早稲田大学第一文学部哲学専修卒業
卒論は『アリストテレスの存在論・四原因をめぐる哲学史考察』
一時は大学院を目指すも断念し、職人（庭師、料理人など）の元で実践を学ぶ
２０２０年、「哲学を普及したい」思いで現会社設立。志を同じくする仲間と哲学対話を重ねる。
「哲学は全ての人に開かれている。特定の知識・前提条件なしに参加できるのが哲学」が哲学普及に対する想い。

廣澤美佳：哲学に興味ある主婦。社会福祉学部卒、社会福祉の分野での仕事を20年近く経験。
現在はｗｅｌｌ－ｂｅｉｎｇについて探求中。

山田良憲：熊野古道の語り部。

立命館大学文学部哲学科教育人間学専攻卒業、同大学院応用人間科学研究科修士課程修了
パリ国立高等師範学校留学、立命館大学大学院文学研究科博士課程単位取得
中学・高校・大学の英語・国語・社会教員を経て現職。

山田このみ：山田さんの奥様。第6回のみ参加。

楊微（VIVIAN）：TIS株式会社　コンサルタント：
西安外国語大学日本語専攻卒業、明治大学経営管理（MBA）修士課程修了。
中国大手企業、日本ベンチャー企業を経て現職。

イラスト制作
杉本早：イラストレーター　徳島県在住
大学在学中からイラストレーターとして営業開始。
卒業後は副業で活動後、現在はフリーランスとして活動中。
主に絵本風やシンプルな作風を得意とする。

謝辞

本書は私が主催する「哲学を語る会」の書籍化であります。龍源先生はじめ、「哲学を語る会」のメンバーとのご縁なしには成り立たなかった会であり、改めて感謝申し上げます。

書籍化にあたっては、出版社の大島様他、様々な方にご助言、ご協力を頂きました。誠にありがとうございました。

哲学を語る会

2023年2月13日　第1刷発行

著　者――― 羽田野大樹
監　修――― 松波龍源
発　行――― 日本橋出版
〒103-0023　東京都中央区日本橋本町2-3-15
https://nihonbashi-pub.co.jp/
電話／03-6273-2638
発　売――― 星雲社（共同出版社・流通責任出版社）
〒112-0005　東京都文京区水道1-3-30
電話／03-3868-3275
© Hiroki Hatano Printed in Japan
ISBN 978-4-434-31406-3
落丁・乱丁本はお手数ですが小社までお送りください。
送料小社負担にてお取替えさせていただきます。
本書の無断転載・複製を禁じます。